「科幻推進實驗室」的誕生

雖然生物技術已經越來越高深
可是《科學怪人》的憂慮卻似乎離我們越來越近

雖然「一九八四」已經過去二十幾年
可是人類卻好像越來越走向《一九八四》

偉大的科幻心靈就像宇宙中原子聚合的恆星
發光發熱·照亮銀河中黑暗的角落

「科幻推進實驗室」立志要集合這些既精采又深刻
既娛樂又啟發的科幻傑作·逐年出版

把科幻推進到這個社會
讓我們享受這些非凡想像力所恩賜的心靈奇景

讓我們在娛樂中獲得啟發
在通俗中得到智慧

這就是「科幻推進實驗室」誕生的目標

經典艾西莫夫 01

機器人四部曲之I

鋼穴

經典艾西莫夫 01

機器人四部曲之I

鋼穴

艾西莫夫◎著

葉李華◎譯

〔導讀〕

艾西莫夫偏心的理由

葉李華

科幻大師艾西莫夫用了半生的歲月，以整個銀河系為背景，撰寫了一套俯仰兩萬載、縱橫十萬光年的未來史，為二十世紀科幻文壇，立下一個難以超越的里程碑。

這套名副其實源遠流長的「大河科幻小說」，其上、中、下游分別為機器人系列、銀河帝國系列與基地系列。雖說手心手背都是肉，但艾氏晚年曾在一篇文章中「偷偷告訴讀者」，還是機器人系列在他心中佔了最重的份量。

如果要認真探究艾西莫夫為何「偏心」，至少得寫一篇上萬字的論文。但若抽絲剝繭，直指核心，那麼首要的理由，應當是三大系列中，要數機器人系列最為豐富多元，並且包羅萬象。

最簡單的例子，本系列包含三十幾個中短篇（主要描述近未來世界，全部收入《機器人故事全集》一書）以及四部長篇（描述大約兩千年後的遠未來），就和其他兩大系列，在結構上有顯著的不同。

其次，雖說早在一九四二年，艾西莫夫就以「機器人學三大法則」，開創了一個嶄新的科幻領域，並終身奉行不渝，以致他筆下的機器人，無異於三大法則的化身（只有極少數例外），然而這絕不代表，在本系列各個故事中，除了三大法則之外，再無其他可觀之處。

事實上，艾氏在闡揚三大法則之餘，總不忘求新求變，在他的機器人小說裡，加入其他（科幻或非科幻）主題和元素，尤其擅長將表面上冷冰冰的機器人，寫成有情有義甚至賺人熱淚的角色。這在《機器人故事全集》的中短篇裡，已經屢屢可見，到了本系列的長篇部分，更是發揮得淋漓盡致。

舉例而言，貫穿四部長篇的主角丹尼爾，便是這類機器人的典型，至於「後起之秀」的吉斯卡，在情義這方面的表現，也可說不遑多讓。

此外，就類型小說而言，本系列每一部長篇，都並非單純的機器人科幻小說。但在探討這個特點之前，需要先做些歷史背景的介紹。

若從寫作順序來看，四部長篇明顯分割成兩個時代，《鋼穴》和《裸陽》是一九五〇年代的作品，《曙光中的機器人》和《機器人與帝國》則晚了近三十年。可是，在研究這四本書的時候，最好避免這樣的二分法，因為實際上，艾氏早就有心寫成一套「機器人三部曲」，只是好事多磨，早年未能完成這個心願。換言之，《曙光中的機器人》可算是難產多年之後才終於誕生的作品，其基本架構並未偏離當初的寫作大綱。

後來，讀者們自然而然，將這三本書合稱為「貝萊三部曲」，因為這三個故事的第一男主角，是一位名叫貝萊的地球警探。由此即不難想像，貝萊三部曲同時也是標準的推理小說；每一個故事，都以一件兇殺案為主軸。

兩種類型小說的聯姻，總是能帶來無窮的新意，在這個實例中，艾西莫夫更是將「科幻＋推理」玩得出神入化。一來，他本身也是推理迷（自己也動手寫過）；二來，機器人學三大法則天生就是極佳的推理題材；三來，推理小說在科幻世界裡找到了更寬廣的舞台，使得以巧智見長的艾西莫夫，倍感如魚得水，揮灑自如。

因此之故，在這套三部曲中，處處可見顛覆傳統推理小說的情節，其中最重要的，當數機器人可以扮演各式各樣的角色，從警探到受害者，從兇手到幫兇和兇器，幾乎無所不包。只不過，在此當然不能討論機器人行兇是否有違「第一法則」，得請大家靜待作者揭開謎底。

至於第四本長篇，則需要多花些筆墨來討論。

首先，在這個故事裡，貝萊已經作古將近兩百年，成了銀河中家喻戶曉的傳奇人物（頗為類似基地系列的謝頓），所以當然可將這本書，視為貝萊三部曲的「後傳」。

我們只要多讀幾遍，即可發現艾氏相當用心經營這本後傳，比方說，他特別利用倒敘手法，讓讀者瞥見貝萊臨終前，所交代的一番重要遺言（導致丹尼爾悟出了凌駕三大法則的「第零法則」，其影響力一直延伸到基地系列的大結局）。此外，貝萊三部曲的場景，分別是地球、索拉利星和奧羅拉星，而在本書，或許為了暗示它是三部曲之後的「句點」，所以刻意讓這三顆行星，都在故事裡佔有一席之地。

更耐人尋味的是，如果我們換個角度，不難看出由於第四冊的加入，這個「四部曲」還巧妙地組成了雙重三部曲——後面三本，可稱為「嘉蒂雅三部曲」。

這位嘉蒂雅不是別人，正是遲至《裸陽》才終於出場的女主角。她的出現，替陽剛的機器人推理小說，不著痕跡地注入一絲浪漫氣息，而且越到後面，這股氣息越明顯。因此我們可以大膽假設，艾西莫夫至少在潛意識中，試圖將嘉蒂雅三部曲寫成一套愛情科幻小說。

所謂橫看成嶺側成峰，除了上述這些觀點，其實還能從另一個完全不同的角度，解析艾氏撰寫這本書的動機和目的。原來，在艾氏早年的作品中，刻意不讓機器人系列和其他系列扯上關係，以暗示彼此是互相獨立的虛擬歷史，但在沉潛二十多年後，艾西莫夫終於決定，要將三大系列融鑄成一個科幻有機體，亦即本文開頭所提到的銀河未來史。

種種證據顯示，艾氏在生命中最後十年，最大的心願就是修完這套未來史！所以他在這段時期所寫的長篇小說，無論機器人系列或基地系列，都含有替這個目的鋪路的企圖。而在這個補綴和自圓其說的浩大工程中，最關鍵的一環，莫過於在機器人系列和銀河帝國系列之間，搭起一座時空橋樑——在這個譬喻下，這座橋名叫《機器人與帝國》，自然再恰當不過。

最後再回過頭來，對《機器人故事全集》做些補充。顧名思義，本書當然是艾氏所寫的機器人中短篇故事大全，其中還包括一篇貝萊與丹尼爾的故事〈鏡像〉，而《我，機器人》這部經典之作，則化整為零地藏身於這本全集內（因此嚴格說來，艾氏未來史的「機器人系列」只有五冊，並不包括《我，機器人》）。不過除了完整之外，本書另有一大特色，就是以分門別類的方式編排所有的故事。例如上述的〈鏡像〉，收錄在「人形機器人篇」；艾氏自己最喜歡的機器人故事〈雙百人〉，則收在「壓軸篇」。這種別出心裁的呈現方式，顯然兼顧了舊雨新知——新讀者很容易一目了然，老讀者則會有一網打盡的滿足感。唯一美中不足的是，本書始終未曾再版，以致艾氏晚年的幾篇作品（例如蘇珊·凱文的最後一役〈機器人之夢〉）因而成了遺珠之憾。

＊　＊　＊

十多年前，聯合報王開平先生神來一筆，送給我「艾西莫夫中文世界代言人」這樣的榮銜，老實說，我內心始終相當惶恐。因為過去二十年來，雖然我一直有心想要完成「艾西莫夫未來史」三大系列的翻譯工作，可惜陰錯陽差，竟讓機器人四部曲兩度擦身而過，所以我經常戲稱自己只能算是「十五分之十一的代言人」。

如今，先有上海讀客出版社的鼓勵，後有台北貓頭鷹出版社的肯定，讓我終於得以完成這個重大心願，並以兩種中文於同一年發表。從今以後，我總算能心安理得地接受這個代言人的封號了。

【參考資料】皆收錄於筆者個人網站「艾西莫夫未來史」單元

・現代機器人故事之父（《我，機器人》導讀）
・樞紐與轉捩點（銀河帝國系列導讀）
・不朽的科幻史詩（基地三部曲導讀）
・基地與機器人（基地前後傳導讀）

導讀人兼譯者簡介

葉李華，一九六二年生於高雄市，台灣大學電機系畢業，加州大學柏克萊分校理論物理博士，致力推廣中文科幻與通俗科學二十餘年。曾任交通大學科幻研究中心主任，現為自由作家。著有科幻小說「衛斯理回憶錄」系列，主編有《倪匡科幻獎作品集》等。

科普譯作包括《胡桃裡的宇宙》等十餘冊，科幻譯作包括艾西莫夫科幻經典「機器人系列」、「銀河帝國系列」與「基地系列」共十六冊，被譽為「艾西莫夫在中文世界的代言人」。個人網站 http://www.yehleehwa.net/。

〔代序〕

機器人小說背後的故事

艾西莫夫

我和機器人結下不解之緣的時間，就寫作而言是在一九三九年五月十日，然而身為科幻迷的我，在更早之前就愛上了機器人。

畢竟，機器人並不是什麼新鮮的科幻題材，早在一九三九年已是如此。在古代和中世紀的神話傳說中，就有不少機械所製造的人類。至於「robot」這個名詞，最早則是出現於卡爾．查別克（Karel Capek）所寫的劇本《RUR》，這齣舞台劇於一九二一年在捷克首映，而劇本很快就翻譯成許多種外語。

RUR的意思是「羅森的全能機器人」，劇中的羅森是一位英國工業家，他為了讓人類能夠過著充滿創造性的悠閒生活，因而製造了一批人造人來為人類服務（「robot」就是衍生自捷克文的「奴工」一詞）。雖說羅森的立意良好，事實並未照他的計畫發展，那些機器人叛變了，人類因此自取滅亡。

這種想像中的新科技，會在一九二一那個年頭被視為大災難的根源，或許並沒有什麼好驚訝的。別忘了，當時第一次世界大戰剛結束不久，人類才見識過戰車、飛機和毒氣的威力——借用「星際大戰三部曲」的說法，那正是「原力的黑暗面」。

相較於《科學怪人》這個更有名的故事，《RUR》注入了較濃的悲觀色彩，前者雖然也有人造人的情節，而且這個舉動同樣導致不幸，相對而言規模卻小得多。由於這兩部經典作品的影響，在一九二〇和三〇年代的科幻作品中，作者經常將機器人描寫成危險的裝置，照例一定會毀掉它的創造者。這類作品一而再、再而三強調一個寓意，那就是：「有些事物人類不該知道。」

不過，我在十幾歲的時候就有不同的見解，我無法接受「如果知識代表危險，無知就是解決之道」這樣的觀點。在我看來，解決之道似乎是善用人類的智慧才對。人類不該拒絕面對危險，而應當學習如何化險為夷。

畢竟，早在某一群靈長類變成人類之初，這樣的問題已經是人類所面臨的挑戰。任何一項新科技都有可能帶來危險，打從一開始，火就是一種危險的科技，而語言又何嘗不是（且危險性尤有過之），這種情形直到今天仍未改變。可是如果沒有這兩項科技，人類就不是人類了。

總之，當時我雖然不太清楚自己對機器人故事有何不滿，內心卻一直在期待更精彩的作品。不久我終於等到了，那是刊登於《震撼科幻小說》一九三八年十二月號的一個短篇〈海倫·奧洛〉，作者是列斯特·德爾瑞（Lester del Rey），他以極富同情心的筆調來描寫一個機器人。我相信那只是他所發表的第二個故事，但從此以後，我就是個至死不渝的德爾瑞迷了（請大家千萬別告訴他，他一定還不知道）。

而幾乎同一時間，在一九三九年一月號的《驚異故事》中，因多·班德（Eando Binder）在短篇小說〈我，機器人〉裡也創造了一個引人同情的機器人。雖然相較之下，這個故事的內容貧乏得多，但我再度大受感動。不知不覺間，我開始有了想要創作機器人故事的念頭，而且決心要把我的機器人寫得人見人愛。在一九三九年五月十日這一天，我終於動筆了，前後總共寫了兩週，因為在那個時代，我寫作的速度還相當慢。

這個故事被我命名為〈小機〉，主角是個機器人保母，雖然它和所照顧的女孩感情很好，女孩的媽媽卻怕它怕得要死。然而，弗列德・普爾（Fred Pohl，當年他和我一樣才十九歲，此後我們的歲數也年年相同）比我來得聰明，他讀完這個故事之後告訴我，由於情節和〈海倫・奧洛〉太接近了，大權獨攬的《震撼》主編約翰・坎柏（John Campbell）不可能刊登。他說得很對，後來坎柏正是以這個理由退稿。

沒想到幾個月後，弗列德成為兩家新雜誌的編輯，而他竟然在一九四〇年三月二十五日買下了〈小機〉，並將它刊登在一九四〇年九月號的《超級科幻小說》，不過題目改成了〈奇異的玩伴〉（弗列德有個可怕的惡習，就是喜歡亂改別人的題目，而且幾乎總是改得更糟。後來，這個故事在別處發表過許多次，一律使用我原來的題目）。

然而在那個時代，除非是將作品賣給坎柏，否則我無論如何都會感到遺憾。所以不久之後，我便試著創作另一個機器人短篇。不過，這回我先和坎柏討論了自己的構想，以確定本篇完成之後，他退稿的唯一原因就是寫得不夠好。然後，我才正式動筆寫出〈理性〉這個故事，大意是說一個機器人有了宗教信仰。

坎柏於一九四〇年十一月二十二日接受了這篇小說，並於次年四月刊登在他所主編的《震撼》。這是我賣給他的第三個作品，但卻是他第一次照單全收，沒有要求我做任何修改。我因此感到十分得意，於是很快又寫了我的第三個機器人短篇，主角是個擁有讀心術的機器人，題目叫做〈騙子！〉。坎柏同樣爽快地接受了，將它刊登於一九四一年五月號，換句話說，連續兩期《震撼》都有我的機器人小說。

但我並未打算就此停手，我心中有一系列的故事要寫。

還有一件更重要的事。一九四〇年十二月二十三日，當我和坎柏討論讀心機器人這個構想的時候，兩人不知不覺談起了規範機器人行為的規則。在我看來，機器人應該是具有內建安全機制的工業產品，於是我們開始替這些安全機制設想白話的版本——這就是「機器人學三大法則」的前身。

後來，我在第四個機器人短篇〈轉圈圈〉中，首次寫出三大法則的確定內容，並在故事裡直接引用。這個短篇發表於一九四二年三月號的《震撼》，其中「機器人學三大法則」在該刊第一百頁首次出現。我很重視這件事，因為據我所知，這也是「機器人學」這個名詞在人類歷史上首度亮相。

在一九四〇年代結束之前，我又賣了四個機器人短篇給《震撼》，分別是〈抓兔子〉、〈逃避〉（坎柏改成了〈矛盾的逃避〉，因為兩年前他刊登了一篇同樣叫做〈逃避〉的故事）、〈證據〉和〈可避免的衝突〉，分別發表於一九四四年二月號、一九四五年八月號、一九四六年九月號以及一九五〇年六月號。

自一九五〇年起，幾家大型出版機構（其中最有名的是雙日公司）開始出版精裝的科幻小說。一九五〇年一月，雙日公司出版了我自己的第一本書——長篇科幻小說《蒼穹一粟》，與此同時，我已在埋首撰寫自己的第二部長篇。

那陣子，我的經紀人剛好是弗列德·普爾，他自然而然想到，或許我的機器人故事也可以出一本書。雖然當時雙日公司對短篇小說集沒什麼興趣，但另一家非常小的格言出版社態度則不同。

於是，一九五〇年六月八日，我將這個選集交給了格言出版社，暫訂的書名是《心靈與鋼鐵》。結果，出版商搖了搖頭。

「改為《我，機器人》吧。」他說。

「不行。」我說，「十年前，因多·班德的短篇小說就用過這個題目。」

「管他的！」出版商答道（不過這幾個字是經過我刪節之後的版本）。結果，我懷著相當不安的心情，勉強被他說服了。《我，機器人》成為我的第二本書，在一九五〇年的年尾問世。

這本書收錄了我在《震撼》所發表的八個機器人短篇，但次序經過了調整，好讓前因後果更為合理。除此之外，我還把那篇〈小機〉也收在裡面，因為雖然它被坎柏退稿，我仍舊很喜歡這個故事。

其實在一九四〇年代，我另外還寫過三個機器人短篇，它們或是遭到坎柏退稿，或是他根本沒看過，但由於和其他故事構成的主線欠缺直接關聯，我並未將它們收錄於《我，機器人》。後來，在該書出版後的幾十年間，我又寫了好些機器人短篇，最後它們連同上述三篇，全部毫無遺漏地收錄於另一個選集中——書名是《機器人短篇全集》，由雙日公司於一九八二年出版。

《我，機器人》的出版並未造成什麼轟動，但是年復一年，它的銷售量即使不大，至少一直很穩定。而在五年之內，這本書又陸續推出軍用平裝本、平價精裝本、英國版和德文版（這是我的書第一次譯成外文）。到了一九五六年，「新美國文庫」甚至也替它出了平裝本。

唯一的問題是，格言出版社長期處於苟延殘喘的狀態，從未提供一份清楚的銷售報表給我，稿酬就更別提了（我的「基地三部曲」也交給了格言出版社，所以遭到同樣的命運）。

一九六一年，雙日公司在獲悉格言出版社的困境之後，趕緊設法接手《我，機器人》以及「基地三部曲」。從那時開始，這幾本書的銷售狀況不可同日而語。事實上，《我，機器人》自問世以來，始終未曾絕版過，至今已經三十三年了。而在一九八一年，我甚至賣出了電影版權，可惜目前為止尚未開拍。此外據我所知，它被翻譯成了十八種語言，包括俄文和希伯來文在內。

但我的故事好像講得太快了。

再回到一九五二年吧，當時《我，機器人》尚未脫離苦海，只是格言出版社的叢書之一，而我根本不覺得有任何成就感。

當時，好些新的一流科幻雜誌出現了，科幻文壇又來到「百家爭鳴」的時期。例如一九四九年創刊的《奇幻與科幻雜誌》，以及一九五〇年的《銀河科幻》都是代表。約翰·坎柏因而喪失了獨霸的地位，四〇年代的「黃金時代」也隨之結束了。

在這種環境下，我開始為《銀河》的主編侯瑞斯·高德（Horace Gold）供稿，而這也令我鬆了一口氣。前後曾有八年的時間，我一律只投稿給坎柏，不禁覺得自己是他的專屬作家，萬一坎柏哪天出了意外，我也就完了。好在，和高德的密切合作解除了我這方面的焦慮。高德甚至連載了我的第二部長篇小說《繁星若塵》，不過他將書名改成《太暴星》，我覺得很糟糕。

我新認識的編輯其實不只高德一人，例如我還把一個機器人短篇賣給了霍華德．布朗尼（Howard Browne），那陣子他正任職於想轉型為高格調雜誌的《驚異》。後來，這篇〈保證滿意〉發表於該刊的一九五一年四月號。

不過，這件事只能算是例外。整體而言，當時我已不打算再寫機器人的故事。《我，機器人》的出版似乎自然而然為我這方面的文學生涯畫上了句點，而我也已經開始朝其他方向發展了。然而，高德幫我連載完那部長篇之後，非常希望再接再厲，而更重要的原因，則是我剛完成的另一部長篇《星空暗流》已交由坎柏連載。

於是，一九五二年四月十九日，高德找我討論接下來能再為《銀河》寫一部什麼樣的長篇。他建議寫個機器人的故事，我卻堅決地搖了搖頭。在此之前，我寫的機器人都是短篇，而我根本不確定能否以機器人為題材，寫出一部長篇小說。

「你當然沒問題，」高德說：「要不要寫一個人口過剩的世界，機器人逐漸取代了人力。」

「太灰色了。」我說：「我不覺得自己會想處理這麼沉重的社會議題。」

「那就保持你的風格。你喜歡推理故事，就在裡面安排一樁謀殺案，然後讓一名偵探和一個機器人合作辦案，如果偵探束手無策，機器人就會取而代之。」

這句話激起了火花。坎柏常常說，所謂的「科幻推理」本身就是個矛盾的名詞，因為作者可以投機取巧，利用新科技替偵探解決疑難雜症，而讀者也就上當了。

因此，我決心寫一個不會欺騙讀者的正統推理故事——但同時也要是標準的科幻小說。結果我寫出了《鋼穴》，隨即在一九五三年十月號至十二月號的《銀河》分三期連載完畢。次年，雙日公司出版了這部長篇小說，是為我的第十一本書。

毫無疑問，《鋼穴》是我那時為止最成功的作品，不但比之前的每一本書都要暢銷，就連讀者的來函也變得更為親切了，而（最佳的證明是）雙日公司對我眉開眼笑的程度大大超過以往。過去，他們在簽約之前，一律要求我提供大綱並試寫幾章，但從此以後，我只要表示想寫一本新書，合約就會立刻送來。

事實上，由於《鋼穴》太過成功，令我無可避免地想要寫個續集。要不是當時我剛投入科普的創作，而且覺得其樂無窮，我想自己一定會馬上動筆。由於這個緣故，我直到一九五五年十月，才真正開始撰寫《裸陽》這個故事。

然而一旦開動，一切便很順利。就許多方面而言，它和前一本書起著互相平衡的作用：《鋼穴》的時空背景是未來的地球，那是個人類太多而機器人太少的世界；《裸陽》的故事則發生在索拉利，那個世界恰恰相反，人類太少而機器人太多。此外，雖然我的小說通常欠缺男歡女愛，這回我卻刻意用輕描淡寫的筆法，在《裸陽》中引進一段愛情故事。

我對這個續集極為滿意，而且在我內心深處，甚至認為它比《鋼穴》更精彩，問題是，接下來我該怎麼做呢?當時我和坎柏已經有些疏遠,因為他開始涉獵一種稱為「戴尼提」的偽科學,而且竟然對飛碟、心靈力學等等的怪力亂神越來越感興趣。但另一方面,我受過他太多的恩惠,因而對於自己將重心轉移到高德身上(我最近的兩個作品都交給他連載)我感到相當內疚。好在高德從未參與《裸陽》的寫作計畫,它的歸宿當然可以完全由我決定。

因此之故,我將這部小說投給了坎柏,他立刻接受了,分成三部分連載於《震撼》的一九五六年十月號至十二月號,而且照例沒有更動我的書名。次年,也就是一九五七年,雙日公司出版了這部長篇小說,成了我的第十二本書。

即使沒有青出於藍,《裸陽》的表現也絕對不輸《鋼穴》,於是雙日公司立刻指出,我可不能到此為止。正如我的「基地三部曲」那樣,我應該再寫一本,湊成另一個三部曲。

我完全同意,而且心中很快就有了粗略的構想,甚至連書名都想好了,叫做《無限的邊界》。

一九五八年七月,我們全家安排了一個長達三週的假期,住在麻州馬什菲爾德的海濱度假小屋。我原本打算利用這個空檔,把這本新書寫出七、八成來。故事預定發生在奧羅拉,其中的「人類/機器人比」相當合理,既不像《鋼穴》那樣前者遠遠超過後者,也不像《裸陽》那種剛好相反的情形。而且,我決定對其中的愛情部分更加著墨。

看來是萬事俱備——結果還是出了問題。這麼說吧,進入一九五〇年代之後,我對「非小說文類」的寫作越來越感興趣,於是生平頭一遭,寫小說時竟擦不出火花。我勉強寫了四章,就再也寫不下去,最好只好放棄。我檢討了一下,認為那是由於我在內心深處,總是覺得自己無法處理男女之愛，也無法將人類和機器人的比例調整到旗鼓相當的地步。

其後的二十五個年頭，這個情況一直沒有改變。但另一方面，《鋼穴》和《裸陽》始終沒有絕版，更沒有消失。比方說，這兩本書曾合併為《機器人小說》重新出版，也曾經和其他幾個機器人短篇組成一大冊的《機器人餘集》。此外，還有好幾種平裝本陸續問世。

因此，在這二十五年間，讀者都不難找到這兩本書，而且（我假設）讀得津津有味。於是有許多讀者來信要求我再寫一本續集，而在科幻大會之類的場合，他們更是當面質問我。久而久之，它成了我最難迴避的一個要求（唯一能相提並論的，就是要求我寫第四本基地小說的呼聲）。

而每當被問到我是否有這個打算，我總是回答：「會的——總有一天——所以祈禱我長命百歲吧。」

雖然我也覺得應該寫，但一年又一年過去了，我卻越來越肯定自己處理不了這個主題，也就越來越含淚相信自己永遠寫不出第三本機器人小說。

然而，一九八三年三月某一天，我還是將這個「千呼萬喚始出來」的第三冊交給了雙日公司。這本書叫做《曙光中的機器人》，內容和一九五八年那個半途夭折的嘗試毫無關係。一九八三年十月，它終於和讀者見面了。

——以撒・艾西莫夫於紐約市

目次

第一章　局長

利亞．貝萊剛走到他的座位，便察覺機．山米正以期待的眼神望著自己。他的長臉立刻板了起來，顯得更加嚴峻。「什麼事？」

「利亞，老板要見你。馬上，不得有任何耽擱。」

「好吧。」

機．山米仍呆呆地站在那裡。

貝萊說：「我已經答應了，給我走開！」

機．山米這才轉身離去，繼續執行其他任務。貝萊氣呼呼地尋思，這種工作為何不能交由真人執行呢？

然後他開始檢查菸草袋的存量，並做了一個簡單的心算。一天抽兩斗菸，他就能夠撐到下一個配給日。

直到這個時候，他才走出自己的圍欄（兩年前他升級，才獲得一個有圍欄的角落隔間），一路穿過大辦公室。

經過辛普森的時候，正埋首於水銀資料庫的他抬起頭來。「老板要見你，利亞。」

「我知道，機．山米告訴我了。」

水銀資料庫的「記憶」是以微幅振盪的型樣，儲存在閃閃發光的水銀表面。此時，這個小型裝置正在將記憶搜尋分析的結果，以密碼的形式輸出到紙帶上。

「要不是怕折斷腿，我真想朝機．山米的屁股踢一腳。」辛普森說：「前幾天，我碰到了文森．巴瑞特。」

「哦？」

「他很想回到原來的工作崗位，或是局裡任何工作都行。可憐的小子急得不得了，但是我又能怎麼辦呢？我只好老實告訴他，機．山米接替了他的工作。現在，那小子只得在酵母農場跑跑腿。他是個聰明的小伙子，大家都喜歡他。」

貝萊聳了聳肩，說了一句：「這種事，我們遲早都會碰到。」他的口氣比自己想像中更為生硬。

「老板」擁有一間個人辦公室。門口的毛玻璃上，以優美的字體刻著他的名字「朱里斯．恩德比」，而在名字之下，則是正式的頭銜「紐約大城警察局局長」。

貝萊一面走進去，一面說：「局長，你找我嗎？」

恩德比抬起頭來。他戴了一副傳統的近視眼鏡，那是因為他的眼睛太敏感，不能戴普通的隱形眼鏡。你必須先花點時間習慣那副眼鏡，才會開始對他那張相當普通的臉孔有些印象。不過，貝萊一直懷疑局長的眼睛並非那麼敏感，他之所以離不開那副眼鏡，只是為了讓自己看起來更有個性罷了。

局長顯然很緊張，他拉拉自己的袖口，上身往後一靠，以過分熱絡的口吻說：「請坐，利亞，請坐。」

貝萊硬邦邦地坐下，等待對方開口。

恩德比局長說：「潔西好嗎？孩子呢？」

「都好，」貝萊敷衍道：「都很好，局長家人呢？」

「都好，」恩德比也這麼說：「都很好。」

真是一段虛偽的開場白。

貝萊心想：他的臉孔看來有點不對勁。

但他卻大聲說：「局長，我希望你不要再派機．山米來找我。」

「嗯，你也知道我對這種事的看法，利亞。可是他既然被派到這裡，我就必須讓他做點事。」

「這令我很不自在，局長。他告訴我說你要見我，然後就站在一旁，你該明白我的意思。我必須命令他走開，否則他會一直站在那裡。」

「喔，那是我的錯，利亞。我派他送口信給你，卻忘了特別交代他，事後繼續做其他的工作。」

貝萊嘆了一口氣，深棕色眼珠周圍的細紋因此加深了。「總之，你要找我。」

「沒錯，利亞。」局長說：「而且這回非比尋常。」

他站了起來，轉身走向辦公桌後面那面牆，按下一個並不起眼的開關，牆壁的一部分竟然就變得透明了。

灰濛濛的光線立刻湧進來，貝萊不禁眨了眨眼睛。

局長笑了笑。「利亞，這是我去年特別改裝的，我應該還沒有給你看過吧。過來，好好看一看。在古代，像這樣的東西每個房間都有，稱為『窗戶』，你知道嗎？」

貝萊熟讀歷史小說，因此非常瞭解這件事。

「我聽說過。」他答道。

「過來吧。」

貝萊猶豫了一下，但最後還是遵命了。凡是有教養的人，都應當避免暴露室內的私隱。有些時候，局長將他的「懷古主義」發揮到了極致，真是相當愚蠢的一件事。

就像他戴的那副眼鏡，貝萊心想。

對了，就是那副眼鏡，讓他今天看來不太對勁。

貝萊說：「不好意思，局長，請問你是不是換了一副新眼鏡？」

局長帶著稍許驚訝瞪了貝萊一眼，然後摘下眼鏡審視一番，接著又再望了望貝萊。摘下眼鏡之後，他的圓臉顯得更圓，下巴的輪廓則更分明些許。而由於眼睛無法正確聚焦，他也顯得神情有些茫然。

他答道：「沒錯。」

他將眼鏡戴回鼻樑，帶著如假包換的憤怒說：「原來那副眼鏡三天前打破了。由於接二連三的事故，直到今天早上我才換了一副新的。利亞，這三天簡直不是人過的日子。」

「因為沒有眼鏡？」

「還有別的原因，我正要開始講。」

他轉身面向窗戶，貝萊也照著做。貝萊發現外面正在下雨，不禁有點訝異。有那麼一會兒，水滴從天而降的奇觀令他著迷。局長則一副相當驕傲的樣子，彷彿這是他一手安排的。

「這個月，我已經三度欣賞到雨景。相當壯觀，你說對不對？」

雖然有些矛盾，貝萊內心卻不得不承認這一點。他已經四十二歲，看到雨景的次數至今寥寥可數，更別提其他的自然奇觀了。

他說：「讓雨水全部流到城裡似乎浪費了，應該導入水庫才對。」

「利亞，」局長說：「你是個現代派，而這正是你的問題。在中古時代，人們生活在露天的空間，我並非僅僅指農場，我是指所有的城市，甚至包括紐約。當下雨的時候，人們不會覺得那是浪費，而是感到欣喜。他們的生活接近大自然，這要比我們的生活方式更好、更健康。現代生活的問題來自疏離自然環境，你有空研究一下『煤炭時代』吧。」

其實貝萊早就研究過。他曾聽過許多人抱怨原子堆的發明，而當諸事不順，或是心神俱疲的時候，他自己也會發出如此的怨嘆。類似這樣的抱怨，其實是人類的一種天性。當初在煤炭時代，曾經有人抱怨蒸氣機的問世。而在莎士比亞的劇作裡，曾有一個角色抱怨火藥的發明。等到一千年以後，正子腦又會成為抱怨的對象。

去他的，不管了！

他繃著臉說：「聽好，朱里斯。」通常，無論局長如何開口閉口「貝萊」，他卻不習慣在上班的時候和局長稱兄道弟，可是今天情況特殊，似乎應該破例一次。「聽好，朱里斯，你天南地北無所不談，就是沒講找我幹什麼，這令我坐立不安。到底發生了什麼事？」

局長答道：「我會講的，利亞，你讓我自己講下去。這回是……是個大麻煩。」

「那還用說，在這顆行星上，有哪件事例外呢？又是『機字頭』惹的禍嗎？」

「沒錯，利亞，可以這麼說。我常站在這裡自問，這個古老的世界還能承受多少災禍？我當初開這扇窗戶，並不只是為了偶爾看看天空，我還要看見整座大城。我常望著這座城市，尋思一個世紀之後，它會變成什麼模樣。」

局長突然多愁善感起來，令貝萊有點反感，可是說來奇怪，貝萊自己竟然也出神地望著窗外。雖然天氣不太好，這座大城看來壯觀依舊。警察局位於市政廳的高樓層，而市政廳本身則高聳入雲。從這扇窗戶望出去，周遭的高塔都顯得矮小，塔頂一一可見。一座座的高塔，就像一根根向上伸張的手指，它們的外牆千篇一律地空白而單調。如果人類是蜜蜂，這些高塔就是蜂巢的外殼。

「這場雨，」局長道：「也可以說來得不是時候，害得我們看不見太空城。」

貝萊向西方望去，發現局長說得完全正確，地平線消失無蹤，遠方的高塔顯得迷迷濛濛，逐漸隱沒在一片白茫茫之中。

「我知道太空城是什麼樣子。」貝萊說。

「我喜歡從這裡觀賞，」局長說：「從上下伯倫瑞克區之間的隙縫，剛好可以看到那座太空城。三三兩兩的低矮穹頂，便是我們和太空族的差異。我們向高空發展，人人擠在一起，而他們，則是每個家庭擁有一座穹頂屋——一家一屋，而且穹頂和穹頂之間都還有空地。你有沒有和太空族交談過，利亞？」

「有過幾次。大約一個月前，就在這裡，我還用你的室內通話器做過這件事。」貝萊耐著性子說。

「對，我記得。不過，我只是突然有感而發。我們和他們，生活方式大不同。」

貝萊感到胃部一陣輕微的抽搐，心想，局長說話越是拐彎抹角，最後的結論就會越要命。

然後他說：「好啦，這又有什麼好驚訝的？你不可能將地球上八十億人口放在一個個小穹頂內。既然他們自己的世界空間遼闊，就讓他們遵循傳統吧。」

局長走回自己的位子，坐了下來，他的雙眼（由於戴著近視眼鏡，看來縮小了一點）一眨不眨地望著貝萊。他說：「面對文化差異，並非人人都那麼寬容，不論我們或太空族都一樣。」

「好吧，所以呢？」

「所以三天前，死了一個太空族。」

終於講到正題了。貝萊的嘴角微微上揚，不過那張長長的苦瓜臉並未洩漏任何情緒。他說：

「真糟糕。我希望是傳染病，病毒導致的，或許是感冒。」

局長顯然吃了一驚。「你在說些什麼？」

貝萊並不想多做解釋。眾所皆知，太空族不遺餘力地將一切疾病趕出自己的社區，而他們盡可能避免接觸「渾身病菌的地球人」這件事，那就更是家喻戶曉了。然而，局長竟然並未聽出貝萊的反話。

貝萊說：「我只是隨便猜猜。他的死因到底是什麼？」他又轉身面對著窗戶。

局長說：「他的死因是胸腔不見了。有人用手銃轟了他。」

貝萊感到背部一陣僵硬。他頭也不回地直接問道：「你又在說些什麼？」

「我在說發生了謀殺案。」局長輕聲道，「你是便衣刑警，該知道謀殺是什麼。」

貝萊這時才轉過身來。「但死者是太空族！三天之前？」

「沒錯。」

「是誰殺的？怎麼殺的？」

「太空族說兇手是地球人。」

「不可能。」

「為什麼不可能？你不喜歡太空族，我也不，又有哪個地球人喜歡他們呢？不過某人的不喜歡稍微過了頭，就是這麼回事。」

「當然，可是……」

「洛杉磯工廠區發生過火災，柏林發生過『毀機』事件，上海也發生過暴動。」

「好吧。」

「這都代表不滿的情緒逐漸升高，或許還代表出現了某種組織。」

貝萊說：「局長，這我就搞不懂了，你是故意在測驗我嗎？」

「什麼？」局長看來完全一頭霧水。

貝萊望著他說：「三天前，一名太空族遭到謀殺，而太空族認為兇手是地球人。可是直到現在為止，」他輕輕敲著桌面，「沒有任何動靜，這有可能嗎？局長，這簡直難以置信。耶和華啊，局長，倘若真發生這種事，整個紐約會因此從這顆行星上消失。」

局長搖了搖頭。「事情沒有那麼簡單。聽好，利亞，這三天我都在外頭。我和市長開過會，我去過太空城，此外我還去了一趟華盛頓，和『地球調查局』進行溝通。」

「哦？地調局的人怎麼說？」

「他們說這是我們的事，太空城位於大城之內，因此屬於紐約管轄。」

「可是卻有『地外法權』。」

「我知道，我正要說這件事。」在貝萊的堅定瞪視下，局長將目光慢慢縮了回去。就好像突然之間，他覺得自己降級成了貝萊的手下，而貝萊卻表現得彷彿接受了這個事實。

「太空族可以自己來辦。」貝萊說。

「慢著，利亞，」局長懇求道：「別催我。我正試著以朋友的身份，和你商量這件事，而我希望你能瞭解我的處境。事發當時我也在場，我和他——拉吉．尼曼奴．薩頓——剛好有約。」

「他就是死者嗎？」

「他就是死者。」局長呻吟道，「再晚五分鐘，那麼我——我自己，就會發現他的屍體了。那會是多大的震撼啊，現場實在太慘太慘了。他們半途碰到我，轉述了這一切。從那一刻起，為期三天的惡夢就開始了，利亞。雪上加霜的是，我眼前一片模糊，偏偏沒有時間去配眼鏡。不過，至少這個問題不會再發生了，我已經一口氣訂了三副。」

貝萊試圖想像當時的畫面。他幾乎可以看到，一群高壯俊美的太空族向局長走來，以他們一貫毫不掩飾的冷漠態度，向局長公布這個消息。朱里斯聽完，一定就摘下眼鏡慢慢擦拭。這時無可避免的事便發生了，他在震驚之餘，未能抓穩那副眼鏡，然後他就望著摔碎的鏡片，肥軟的嘴唇還直打哆嗦。貝萊相當確定，至少有五分鐘的時間，摔壞眼鏡帶給局長的困擾超過了那宗謀殺案。

局長這時又開口：「如今情況萬分凶險。正如你所說，太空族擁有地外法權，他們可以堅持自行調查，並自行向母星政府提出報告，愛怎麼寫就怎麼寫。而外圍世界可以拿這件事當藉口，要求一大堆的損害賠償。你該知道，這會對地球人造成多大的負擔。」

「如果白宮同意賠償，無異於政治自殺。」

「不賠償的話，又是另一種自殺。」

「你不必對我描述那種後果。」貝萊說。當他還是小孩的時候，來自外太空的星艦曾經飛到華盛頓、紐約和莫斯科上空，然後軍隊從天而降，開始搜刮「屬於他們的財產」。

「你明白了吧，無論賠償與否，都是大麻煩。唯一的解決之道，就是我們自己找出兇手，交給太空族處置。一切看我們的了。」

「為何不讓地調局出面？即使在法律上，這個案子歸我們管轄，可是其中牽涉到了星際關係……」

「地調局不肯碰這個案子。這是個燙手山芋，而且已經掉在我們身上。」他抬起頭來，以尖銳的目光凝視這位手下好一陣子。「而且那樣做並沒有好處，如今，我們每個人都有可能丟掉飯碗。」

貝萊說：「把我們通通換掉？別傻了，有資格取代我們的人還沒有出生呢。」

「機字頭的，」局長說：「他們早已出生了。」

「什麼？」

「機．山米只是先頭部隊，他頂多跑跑腿，更先進的則能在捷運帶上巡邏。他媽的，我可比你更瞭解太空族，老弟，我知道他們在打什麼主意。既然有機字頭的能夠接替我們的工作，你我都有可能遭到解雇。別以為這是不可能的事，想想我們這把年紀，還要重新投入就業市場……」

貝萊粗聲道：「好了。」

局長顯得有點尷尬。「抱歉，利亞。」

貝萊點點頭，盡量避免因此聯想到自己的父親。那是一段不愉快的過去，而局長當然不陌生。

貝萊問：「這種取而代之的勾當，是從什麼時候開始的？」

「聽好，你太天真了，利亞。此事由來已久，早在二十五年前，太空族從天而降，就開始進行這件事了，這你總該知道吧。只不過，目前剛開始發展到上層。萬一這個案子搞砸了，我們向退休金說再見的機會就要大大增加了。另一方面，如果我們處理得宜，失業危機就會被我們拋到九霄雲外。而且對你來說，這是個難得的轉機。」

「對我來說？」貝萊問。

「你將負責這個案子，利亞。」

「我不夠資格，局長，我只是個C5而已。」

「你希望升到C6，對不對？」

對不對？貝萊很清楚C6級擁有哪些特權：在尖峰時間的捷運帶上享有座位（C5保留座則僅限上午十點到下午四點）、在社區食堂享有更高的選擇權，甚至可能有機會換個更好的公寓，並替潔西爭取到日光浴層的使用券。

「我接了。」他說：「當然，我怎麼會拒絕呢？可是，如果我破不了案，又會有什麼下場？」

「你怎麼會破不了案呢，利亞？」局長哄誘道，「你那麼優秀，你是我們這兒數一數二的高手。」

「可是我的同事中，有五、六個官階都比我高，為什麼不指派他們？」

貝萊並未提高音量，但無論他的口氣或表情，都強烈暗示局長似乎遇到了萬分緊急的狀況，否則絕不會對自己破格任用。

局長將雙手交握。「我這麼做，原因有二。首先，你在我心目中不只是個警探而已，利亞，我們還是朋友，我從未忘記我們的大學時代。有些時候，看起來我似乎忘記了，但那是官階的問題。我是局長，你該知道那代表了什麼。但我仍舊是你的朋友，而如今則是你的大好機會，我要你好好把握。」

「這是原因之一。」貝萊的口氣並不熱絡。

「第二個原因，我將你視為朋友，所以有個不情之請。」

「什麼不情之請？」

「我要你答應，這次和一名太空族合作辦案，這是太空族開出的條件。他們同意不向母星報案，他們同意將本案交給我們偵辦，而他們的交換條件，就是堅持要派一名自己的探員參與，而且是全程參與。」

「聽你這麼說，他們似乎完全不信任我們。」

「你果然看出了他們的用意。如果這件事處理不當，好些太空族都會遭到他們政府的責罰。我可以包容他們的疑心，利亞，我願意相信他們是出於善意的。」

「這點我也確信，局長，而這正是他們難纏的地方。」

局長似乎無言以對，只好繼續說：「你到底願不願意和太空族一起辦案，利亞？」

「你是在拜託我嗎？」

「是的，我拜託你接下這個案子，並且答應太空族所有的條件。」

「我答應和太空族合作辦案，局長。」

「謝謝，利亞，而他必須和你住在一起。」

「喔，喔，等一等。」

「我知道，我知道。可是利亞，你的公寓夠大，共有三個房間，而你們夫妻只有一個孩子。你們可以容納他，他不會帶來任何麻煩，完全不會。而且，這種安排確有必要。」

「潔西會不高興的，我可以想像。」

「你去告訴潔西，」局長顯得誠意十足，他激動得一雙眼珠似乎都跳到鏡片之外，「只要你替我辦這件事，大功告成之後，我會全力提拔你。Ｃ7級，利亞，Ｃ7！」

「好吧，局長，就這麼說定了。」

貝萊正準備起身，突然看到恩德比局長的表情，於是又坐了下來。

「還有什麼事嗎？」

局長慢慢點了點頭。「還有一點。」

「什麼事？」

「那位太空族搭檔的名字。」

「名字有什麼大不了的？」

「太空族的作為，」局長說：「不能以常理度之。他們派出的探員，並不是……不是……」

貝萊瞪大雙眼。「沒搞錯吧！」

「你一定要接受，利亞，一定要，沒有別的辦法了。」

「那種東西？住在我家？」

「看在朋友的份上，拜託了！」

「不行，不行！」

「利亞，這件事我無法信任其他任何人。我需要向你說得更明白嗎？我們必須和太空族合作，而且我們必須成功，否則不久之後，討債的星艦就會飛來地球了。可是如果不知變通，我們就不可能成功，因此你必須和他們的機字頭合作。然而，如果由他破了案，如果他回報說我們無能，那我們可就萬劫不復了——我們，我是指整個警局，你明白了，是嗎？所以說，你就像是走在一條鋼索上，你必須和他合作，可是一定要確保案子由你自己偵破，瞭解了嗎？」

「你的意思是，我要百分之百和他合作，只不過還要在背後給他一刀？還要割斷他的喉嚨？」

「我們還能怎麼做呢？沒有別的辦法了。」

利亞·貝萊猶豫不決地站起來。「我真不知道潔西會怎麼說。」

「如果有需要，我來跟她說吧。」

「不必了，局長。」他感嘆地深深吸了一口氣，「那個搭檔叫什麼名字？」

「機．丹尼爾．奧利瓦。」

貝萊帶著悲傷的口吻說：「事到如今，不必再避諱什麼了，局長。既然我接下這件任務，就讓我們稱呼他的全名吧——機器人．丹尼爾．奧利瓦。」

第二章 捷運

捷運帶上照常擠滿形形色色的乘客：擁有特權的人士坐在上層，其他人則站在下層。隨時隨地都有連續不斷的人潮離開捷運，他們越過減速路帶後，有些人前往緩運帶，有些則步行穿過拱門或天橋，進入無邊無際的市區迷宮。另一股同樣連續的人潮，沿著剛好相反的方向前進，跨過加速路帶，最後登上捷運帶。

放眼望去，光線無所不在：牆壁和天花板一律發出均勻的冷光，廣告招牌則閃爍著五顏六色，努力吸引人們注目，此外還有一條條刺眼的「光蟲」，以穩定的閃光標示著：「往澤西各區」、「沿此箭頭接駁東河」、「長島區各線請上樓」。

但最顯熱鬧的，莫過於那些和生命息息相關的聲音：上百萬人在交談、在嘻笑、在咳嗽、在通話、在哼歌、在呼吸。

沒有任何前往太空城的指標，貝萊這麼想。

他踏著駕輕就熟已有半輩子的腳步，跨過一條又一條路帶。如今，小孩子一旦學會走路，馬上就會開始學習「跳路帶」。雖然貝萊每跨出一步，速度就增加一點，他卻幾乎感覺不到任何不適，甚至未曾察覺自己微微向前傾，以抵抗加速度所產生的力量。不到三十秒，他就已經抵達時速六十英里的最高速路帶，可以登上圍在柵欄和玻璃內的運動平台，也就是所謂的捷運帶。

貝萊心想，還是沒看到前往太空城的指標。

或許並無必要設置什麼指標。如果你和太空城有來往，就應該知道怎麼去，如果你不知道，就代表你和太空城毫無瓜葛。

且說大約二十五年前，太空城建立之初，曾有一股很強的力量，想推動它成為觀光勝地。於是，一群群的紐約人蜂擁而至。

太空族及時阻止了這股風潮。他們以圓滑的手腕，客客氣氣（這種態度從無例外）卻毫無妥協地在兩城之間建造了一道力場關卡。然後，他們成立了一個兼顧「移民」和「海關」的聯合機構。如果你要去太空城辦事，必須以真實身份提出申請，並且默許他們對你進行搜身、健康檢查以及例行的消毒。

此項措施自然引發地球人的不滿。這股不滿的情緒一發不可收拾，嚴重阻礙了現代化的進程。貝萊清楚記得當年的「關卡暴動」，因為他自己也是暴民的一員，他們爬上捷運帶的圍欄，他們擠進捷運上層的特權保留座，他們不顧生命危險在路帶上橫衝直撞，最後他們在太空城關卡外面聚集了整整兩天，一面呼口號，一面搗毀公共設施來洩憤。

貝萊只要努力回憶，就能想起那些抗議歌曲怎麼唱。比方說，有一首歌叫做《地球是人類的原鄉，你聽到沒聽到？》，是取材自一首歌詞怪異的古老民歌《阿曼提耶赫小姐》，填入新詞而成：

「地球是人類的原鄉，你聽到沒聽到？

人類誕生於地球，你聽到沒聽到？
太空族啊太空族，滾出地球，滾回太空，
骯髒的太空族，你聽到沒聽到？」

這首歌共有幾百組歌詞，少數還算詼諧，但大多數相當愚蠢，許多甚至接近下流。然而，每組歌詞最後皆以「骯髒的太空族，你聽到沒聽到？」作為結束。骯髒，骯髒——在太空族加諸地球人的污辱之中，最惡毒的莫過於堅稱地球人個個渾身是病，因此他們以「骯髒」兩字回敬太空族，以取得精神上的勝利。

當然，那些太空族並未因此離去，他們甚至沒有動用任何攻擊性武器。落後的地球艦隊早已學到教訓，知道千萬別接近外圍世界的星艦，否則就等於自殺。在太空城建立之初，曾有幾架地球飛機大膽飛到它的上空，結果一一失蹤，毫無例外。最好的情況，就是支離破碎的翼尖有機會落回地面。

此外，不論暴民多麼瘋狂，也不敢忘記在一世紀前的那場戰爭中，次乙太分解槍所示範的殺傷力。

因此，那道關卡成了太空族的安全屏障——它本身就代表著太空族的先進科技，地球武器拿它簡直毫無辦法。他們就在關卡後面不急不躁地等待，直到紐約當局利用催眠和催吐氣體收拾了那些暴民為止。事後，下層監獄人滿為患，包括帶頭份子、示威群眾，以及剛好在附近而遭逮捕的倒楣鬼。但過了一陣子，他們通通無罪開釋。

若干時日之後，太空族主動放寬了管制，他們將關卡撤除，改由紐約警察負責守護那座太空城。最重要的是，健康檢查的方式也變得比較溫和。

如今，貝萊心想，恐怕又要開倒車了。假如太空族堅決認定，是一名地球人進入太空城並犯下謀殺案，那麼關卡很可能又要恢復了，這種發展可不妙。想著想著，他登上了捷運平台，穿過站在下層的乘客，爬上窄小的螺旋梯，最後在上層坐了下來。但直到通過哈得遜各區之後，他才將特權票掛在自己的帽帶上。因為在哈得遜以東和長島以西，C5級並沒有座位權，雖然此時有許多空位，捷運管理員還是會主動將他趕走。對於特權這種事，民眾現在越來越敏感，而且老實說，貝萊也將自己視為「民眾」之一。

每個座位上方都有一個弧形擋風玻璃，它和空氣摩擦會產生一種特殊的呼呼聲。這種噪音使得交談成為苦差事，可是只要你習慣了，並不會對思考造成任何阻礙。

至少就某些方面而言，大多數的地球人都是「懷古人士」。這是很自然的一件事，因為在中古時代，地球還是唯一的世界，並非如今的五十分之一，而且還是居於劣勢的五十分之一。想到這裡，貝萊突然聽到女人的尖叫聲，猛然轉頭向右望去。原來是有位女士掉了皮包，他只有機會瞥一眼，它看起來只是灰色路帶上一個粉紅色的圓點。一定是某個乘客離開捷運時，匆忙間不小心將它踢到減速路帶，導致失主和失物的距離越拉越遠。

貝萊的嘴角抽動了一下。如果她懂得趕緊衝向一條速度更慢的路帶，而且其他人不再將皮包踢來踢去，她還是有失而復得的機會。不過，他不可能知道這件事的結局了，因為這個時候，他距離事發地點已有半英里。

她撿回皮包的可能性其實微乎其微。根據統計，平均每三分鐘，紐約大城就會有一件物品遺失在路帶上，再也沒有機會物歸原主。大城政府的「失物招領局」是個龐大機構，現代生活的複雜程度由此可見一斑。

貝萊想到：過去則比較簡單，每一件事都比較簡單，因此才會有懷古人士的出現。

懷古主義有許多不同的表現方式。比方說，對毫無想像力的朱里斯·恩德比而言，懷古就是使用仿古的器物，眼鏡！窗戶！

對貝萊而言，則是研究古代歷史，尤其是古代的習俗。

以他安身立命的這座大城為例，在這個世界上，紐約大城的面積僅次於洛杉磯，人口僅少於上海。然而，它只有三個世紀的歷史。

沒錯，在這個地理位置上，曾經存在過另一個「紐約市」，那個原始的聚落擁有三千年（而非三百年）的歷史，可是它並非一座大城。

當年並沒有任何大城，古代所謂的城市，只能算是聚集在一起的許多建築，而且無論大小，一律處在露天環境中。那些建築有點像太空族的穹頂屋，不過兩者的差異當然還是很大。而那些數以千計的聚落（其中最大的勉強有一千萬人口，大多數則不到一百萬）零星散布在地球上，就現代標準而言，完全談不上經濟效益。

隨著人口不斷增加，地球不得不開始重視效益。起初，藉由逐步降低生活標準，這顆行星還能勉強維持二十億、三十億，甚至五十億人的溫飽，然而，當人口打破八十億大關之際，半饑餓狀態隨時可能會惡夢成真。這時，人類的文明就必須做出根本的改變，更何況地球人終於瞭解，外圍世界（一千年前，它們還只是地球的殖民地）對於移民限制竟然極其嚴格。

這個根本的改變，就是在其後一千年的歲月中，許多大城逐漸形成了。越大越有效率——即使在中古時代，雖然還沒有具體的理論，已經有人體會出這個道理，因此家庭手工業逐漸進化為工廠，而工廠又進化到跨洲工業。

想想看，十萬戶家庭住在一個隔成十萬間的社區裡，是不是比佔用十萬棟住宅有效益得多？同理，將書籍全部集中於社區圖書中心，以影視傳送系統取代一家一台放影機，所產生的效益都是難以計數的。

更好的例子，則是大城文明所造就的高效率食堂和衛生間，終止了當年家家戶戶各自為政的愚蠢和浪費。

於是，地球上有越來越多的村莊、城鎮和傳統都市逐漸消失，由一座座的大城取而代之。即使早年還有原子戰爭的陰影，也只能減緩而非阻止此一趨勢。而隨著力場防護罩的發明，這個趨勢更是加速前進，銳不可當。

此外，大城文明還意味著將食物做最理想的分配，因此酵母農業和水耕法的應用大幅提升。紐約大城佔地二千平方英里，根據上次的普查結果，人口遠超過兩千萬，而在地球上，這樣的大城共有八百座，平均人口為一千萬。

大城是個半自治的政治體，經濟上幾乎自給自足。每座大城皆可自行加上穹頂，圍上網柵，或是向地底發展。它們就像是一座座由鋼鐵和混凝土鑄成的洞穴，一座座巨大的、自足的「鋼穴」。

大城的結構相當符合科學。中央是行政單位使用的巨大建築群，而各個大型住宅區的整體方位和相互方位都經過仔細規劃，兩兩之間皆有捷運帶及緩運帶相連。郊區則保留給水耕農場、酵母農場、工廠和發電廠。除了這些亂中有序的建築之外，還有數不盡的水管、下水道、學校、監獄、商店、電力線和通訊電路穿插其間。

毫無疑問，大城正是人類征服自然的極致成就。無論是太空旅行，或是那五十個如今翅膀長硬的殖民世界，比起大城來都相形見絀。

全世界沒有一個地球人住在大城外面。大城之外就是荒野，很少有人能夠安然面對那種露天環境。誠然，露天空間還是有必要的，它不但替人類儲存不可或缺的水分，還提供了各類塑膠和酵母培養基的基本原料——煤和木材（石油早已用完了，富含油質的酵母菌種是合格的替代品）。大城和大城之間的土地仍然蘊藏著各種礦物，而且所生產的傳統糧食和牧草超過一般人的想像。雖說這是欠缺效益的農業，可是牛肉、豬肉和穀物總是能賣到好價錢，而且可以外銷其他大城。

不過，無論是經營礦場和牧場，或是開墾農場和引水灌溉，其實都不需要多少人力。只要少數幾人遠距離監督，機器人就能將這些工作做得更好，而且成本更低廉。

機器人！說來真是一大諷刺。正子腦最早是在地球上發明的，而最早使用機器人當作生產勞力的也是地球。

是地球，並非外圍世界！當然啦，外圍世界總喜歡將機器人當成它們的文明產物。

就某方面而言，沒錯，機器人社會的高峰是在外圍世界出現的。而在地球上，機器人一直被侷限在礦區和農場工作，直到四分之一世紀前，在太空族的驅策下，機器人才慢慢滲入大城裡。

大城是有益於人類的發明。除了懷古人士，人人都知道（在合理範圍內）大城是無可取代的。問題是好景不長，由於地球人口仍在增長，總有一天，即使大城竭盡所能，每個人所能攝取的熱量還是會低於基本維生水平。

相較之下，更可惡的卻是太空族，這些地球移民的後裔，住在那些人口稀少、機器人充斥的外太空豪華世界。他們自行決定要保有空間寬廣的舒適生活，因此之故，他們壓低了生育率，並且拒絕人滿為患的地球輸出任何移民。而這……

太空城快到了！

貝萊的潛意識提醒自己，現在正接近紐瓦克區，如果繼續留在座位上，他就會轉向西南方前進，來到特倫頓區，穿過高溫且充滿霉味的酵母業心臟區。

時間必須估得準確。他需要時間走下樓梯，需要時間擠過站在下層的聒噪乘客，需要時間穿越柵欄以便離開捷運，還需要時間跨過一條條減速路帶。

完成這些程序之後，他置身於月台的正確出口。從頭到尾他都沒有刻意計算腳步的快慢，否

賽中獲得評審特別獎。接著，我把獎狀內容念出來。」

啊。

瞬間我有不好的預感。背後像是被人悄悄插入一條細長的冰柱。如果可以的話，我只想接過獎狀趕緊下台。

「……殊堪嘉許，特頒此狀。作品名稱：《陽炎～永遠等著你》。恭喜！」

我寧可全校一起爆出笑聲。幾個人的噗哧訕笑和含糊的私語如波濤般湧了過來。「名稱好爛！」我聽見男生的聲音這麼說。唯獨這一句聽得一清二楚。武文一定也聽見了。我看到身旁的武文用力握住尺寸過大的制服下襬，此刻我才注意到，自己的指甲也插進了掌心。

我們擅於佯裝若無其事。

我們都不去談表揚儀式的話題，就這麼各自度過數學B、古典文學和現代社會之間的十分鐘休息時間。每到打鐘下課，武文就會到我的座位來聊上幾句，然後去上廁所或去喝水，在那些地方待著，直到十分鐘過去。

我們不去面對自己受傷的事實，以免再度確認自己的確屬於「下層」。

若不營造一個能多人共處空間並予以保護，教室這地方會讓人窒息。十七歲的我們還沒堅強到足以帥氣面對，即使真有這種人，也不會是我們。

就連那邊的兩個女孩子，即使並不太常聊天，也總是共聽一台MP3播放器。（彷彿來自另一個世界的）那三個醒目男生，也總是和其他有活力的男生混在一起，儘量成群行動。

她也同樣邊笑邊左右晃動著馬尾，睜大眼睛或瞇瞇地笑，待在最時尚耀眼的女生集團之中。女孩子比較早熟，大概是真的。

則可能會弄巧成拙。

這時貝萊才發覺，自己處於一種奇特的半孤立狀態中；在這個月台上，只有他和一名警察而已，除了捷運的呼嘯聲之外，四周安靜到幾乎令人不安的程度。

那名警察走過來，貝萊不耐煩地亮出自己的警徽，警察便做了一個允許通行的手勢。

通道相當狹窄，而且總共轉了三、四個急彎。這種設計顯然有其目的，它使得地球暴民很難一口氣擠進來，而直接攻擊更是絕無可能。

根據約定，貝萊將和他的搭檔在太空城的這一邊碰面。謝天謝地，雖然據說健康檢查相當客氣，貝萊還是敬而遠之。

前方出現一排緊關著門的出口，門上標示著「通往露天空間與太空城的穹頂屋」，一名太空族就站在那裡。他有一張寬闊高顴的臉龐，一頭銅色的短髮，而他的穿著則頗有地球風，長褲緊束腰際但褲管寬鬆，兩側各有一條彩色的條紋；上身是一件普通的人造纖維襯衫，領口敞開，前方有拉鍊，袖口有摺邊。然而，他絕對是一名太空族，因為他的站姿與眾不同，抬頭的方式與眾不同，那鎮定而漠然的表情與眾不同，就連向後梳得整齊的短髮也與眾不同，在在顯示他並非土生土長的地球人。

貝萊硬著頭皮向他走去，生硬地說：「我是紐約大城警局C5級便衣刑警，以利亞・貝萊。」

他出示了證件，又繼續說：「我奉命在太空城入口處，會見機・丹尼爾・奧利瓦。」他看了看手錶，「我來早了一點，能否請你通報一下？」

他覺得背脊一股涼意。雖然他對於地球製造的機器人多少有些認識，但太空族的機器人卻另當別論。他自己從來沒見過，然而地球上普遍流傳著駭人的傳說，繪聲繪影地描述在遙遠的、華麗的外圍世界，有許多令人望而生畏的機器人，在各方面都勝過人類。想到這裡，他不知不覺咬緊牙關。

那名太空族一直禮貌地聽他說話，直到現在才開口：「其實沒有這個必要，我早已在等你了。」

貝萊自然而然伸出手，半途卻垂了下去，而他的長臉則拉得更長了。他想說些什麼，不料話到嘴邊竟然凍結了。

那名太空族說：「請容我自我介紹，我就是機．丹尼爾．奧利瓦。」

「是嗎？我搞錯了嗎？我以為『機』代表……」

「相當正確。我是個機器人，你還不知道嗎？」

「我知道。」貝萊將冒汗的手掌插進頭髮裡，下意識地撥了撥頭髮，然後才正式伸出去。「很抱歉，奧利瓦先生，我的思緒有些混亂。你好，我叫以利亞．貝萊，是你的搭檔。」

「好極了。」機器人握住貝萊的右手，然後慢慢增加壓力，一直加到最熱情的程度，力道才開始減輕。「但我似乎察覺到不安的情緒。可否請你跟我有話直說？像我們這種合作關係，最好一切都能開誠布公，以促進彼此的瞭解。而根據我們那個世界的習慣，合作夥伴會直呼對方的名字或暱稱，我相信這點並未違反你們的風俗。」

「只不過，你知道嗎，你看來並不像機器人。」貝萊衝口而出。

「這點令你感到不安？」

「我想，不至於吧。丹……丹尼爾，在你們的世界，機器人都像你這模樣嗎？」

「還是有個別差異的，以利亞，就像人類一樣。」

「我們的機器人……嗯，你看得出它們是機器人，你瞭解我的意思吧，而你卻像個太空族。」

「喔，我懂了。你原本以為我是那種粗製型，所以吃了一驚。可是在這件事情上，若想避免任何不愉快，我的族人就必須派出一名維妙維肖的人形機器人。這是唯一合乎邏輯的決定，對不對？」

一點都沒錯。如果一個普通機器人走在大城裡，很快就會惹出禍端。

貝萊答道：「對。」

「那我們就動身吧，以利亞。」

他們向捷運的方向走去。機．丹尼爾一旦瞭解了加速路帶的功能，很快便像老手般走在上面。貝萊起先刻意放慢腳步，後來卻沒好氣地加快速度。

機．丹尼爾始終和貝萊並駕齊驅，看不出他這麼做有任何困難。貝萊甚至懷疑，這個機器人是不是故意走得慢一點。等到兩人終於抵達捷運帶，貝萊以幾近玩命的動作爬了上去，機器人則輕輕鬆鬆地跟上他。

貝萊漲紅了臉，吞了兩口口水，然後說：「我陪你站在下層。」

「下層？」丹尼爾說，對於周遭的噪音和平台的規律搖擺，這個機器人顯然都不在乎。「我的資料錯了嗎？據我所知，除了某些限制，C5級有資格坐在上層。」

「你沒錯，我可以上去，但是你不行。」

「我為什麼不能跟你上去？」

「至少要C5級才行，丹尼爾。」

「這點我很瞭解。」

「你並不是C5級。」由於下層擋風設備簡陋，空氣摩擦的嘶嘶聲特別響，所以交談相當困難，而貝萊又心虛地刻意壓低聲音。

機．丹尼爾說：「為什麼我就不能是C5級？我是你的搭檔，理當平起平坐，所以被賦予了這個官階。」

他從襯衫內袋掏出一張如假包換的長方形證件，上面的名字是「丹尼爾．奧利瓦」，故意省略了那個最重要的「機」字，而官階果然是C5。

「上去吧。」貝萊硬邦邦地說。

兩人坐下之後，貝萊雖然明知那機器人坐在身旁，卻直直望著前方，自顧自生悶氣。他已經失誤兩次，第一次是並未認出機．丹尼爾是機器人，第二次則是沒猜到機．丹尼爾理應擁有C5

的官階。

當然，問題出在他並非什麼小說人物，而是個活生生的便衣刑警，他沒有泰山崩於前而色不變的本領，沒有喜怒不形於色的修養，沒有取之不盡的適應力，更沒有閃電般銳利的頭腦。過去，他從不曾幻想自己擁有這些天賦，卻也從來沒有因此感到遺憾。

現在他會萌發這種憾意，是因為機．丹尼爾．奧利瓦顯然就是這樣的「人物」。

他當然完美無缺，因為他是機器人。

貝萊開始替自己找藉口。他平常接觸的機器人，都是像機．山米那種在辦公室跑腿的，因此才會以為他的搭檔有著光滑堅硬的塑質外殼，渾身是那種毫無生氣的慘白色。他還預期對方始終掛著一副固定的、虛假的、愚蠢的笑容，四肢還經常不大聽使喚。

機．丹尼爾完全不是那麼回事。

貝萊偷偷瞥了這個機器人一眼，不料機．丹尼爾竟然同時轉過頭來，一面迎接他的目光，一面嚴肅地點了點頭。此時貝萊又想到，他說話時嘴唇會自然蠕動，不像地球的機器人，只會一直張著嘴。而且，剛才貝萊還瞥見他有一根靈巧的舌頭。

貝萊心想：何必強迫他乖乖坐在這裡？這些噪音、光線、人群，對他來說一定都是完全陌生的經驗。

貝萊起身離去，並在掠過機．丹尼爾時說了一句：「跟我來！」

兩人離開了捷運，沿著減速路帶向外走。

貝萊開始尋思：老天，我到底該怎麼跟潔西講？

這個縈繞在他心中的問題，曾經由於那機器人的出現而暫時沉寂，可是現在，當他們順著緩運帶，即將來到南布隆克斯區的入口，這個問題不但重新浮現，而且成為燃眉之急。

他說：「你知道嗎，丹尼爾，你所見到的一切，這整個大城，其實就是一座建築，總共有兩千萬人住在這裡面。捷運帶日夜不斷流動，時速六十英里，總長度有兩百五十英里，此外還有好幾百英里的緩運帶。」

接下來，貝萊想，我大概要心算紐約每天會消耗多少噸酵母食品，多少立方英尺的淡水，以及原子爐每小時生產多少百萬度的電力。

丹尼爾說：「我在聽取簡報時，已經獲悉這一類的資料。」

貝萊心想：嗯，那就一定涵蓋了食物、飲水和電力的相關數據，我又何必向一個機器人吹噓這些呢？

他們來到了東一八二街，前方大約二百碼處，有一棟鋼筋混凝土建造的大樓社區，屬於他的那間公寓就在裡面。底下有一整排電梯，每一台都能直通他家。

大樓的底層有一排商店，貝萊正準備說「這邊請」，卻硬生生嚥了回去，因為在一家商店門口，炫目的力場門前聚集著好些人，擋住了他們的去路。

「怎麼回事？」他以自然而然帶著權威的口氣，詢問最靠近自己的那個人。

那人一面踮著腳尖，一面回答：「我知道個鬼，我剛來而已。」

旁邊有人興奮地說：「這家店裡有機字頭的笨蛋，我想它們也許會被拖出來。乖乖，我真想把它們給拆了。」

貝萊緊張兮兮地望向丹尼爾，不過，後者即使聽到了或聽懂了那句話，他也絲毫沒有表現出來。

貝萊衝進了群眾中。「讓我過去，警察，警察！」

群眾勉強讓路，貝萊向前鑽，身後傳來了咒罵聲。

「……把它們全拆了，一個個螺絲慢慢拆，沿著接縫撬開來……」還有人哈哈大笑。

貝萊有點不寒而慄。大城雖然代表著效率的極致，可是居民必須因此付出代價，例如必須過著極其規律的生活，一切都在嚴格而科學的控制之下。如此日積月累的壓抑，總有一天會爆發出來。

他想起了所謂的關卡暴動。

反機器人的暴動當然其來有自。一個人努力了大半生，竟然面臨遭到解雇這樣的絕境，任何人毫無例外，一定會遷怒到機器人頭上，至少可以拿它們出出氣。

反之，像「政府政策」或「機器人創造的高產量」這種抽象的東西，就不太可能遭到拳打腳踢。

政府將這種現象稱為「成長的陣痛」，只能沉痛地搖搖頭，並且向民眾保證，經過一段必要的調適期，大家就會過上更新更好的日子。

可是，隨著解雇的持續進行，懷古運動開始逐漸擴張。人們變得越來越絕望，而到底是要忍氣吞聲還是拚個同歸於盡，往往只是一念之間的決定。

一旦發生這種事情，要不了幾分鐘，壓抑已久的敵意就能轉變成一場血肉橫飛的暴動。

想到這裡，貝萊拚命向力場門擠過去。

第三章　鞋店

那家商店裡面不像門口那麼擁擠。店長頗有先見之明，一看不對勁就關上了力場門，以防有人藉機闖入興風作浪。雖然這麼一來，那些「導火線」也出不去了，但那只是個小問題。

貝萊利用自己的警用解除器，順利穿過了力場門，但意想不到的是，機·丹尼爾竟然仍跟在他後面。此時，這個機器人正將自己的解除器放進口袋，相較之下，他的解除器要比標準的警用型來得纖細，而且較為精緻。

店長立刻跑到他倆面前，大聲說：「警官，這些店員是大城政府指派給我的，我絕對有權使用。」

店內共有三個機器人，它們直挺挺地站在後面，而力場門附近還站著六個人，通通都是女性。

「大家注意，」貝萊朗聲道：「怎麼回事？到底在鬧些什麼？」

其中一名婦人尖聲說：「我是來買鞋的，為何就不能找個體面的店員招呼我？瞧不起人嗎？」她的穿著，尤其是那頂帽子，充分說明她絕對不准任何人瞧不起。婦人氣得滿臉通紅，卻仍然掩不住她臉上的濃妝。

店長說：「如果有必要，我會親自為她服務，可是我沒辦法招呼她們每一個人，警官。我的人沒有什麼不對，他們都是領有執照的勞工，我這裡有他們的規格表和保證卡……」

「規格表！」那婦人怪叫一聲，然後一面尖聲大笑，一面轉向其他人，「你們聽聽，他管它們叫人！你到底哪裡不對勁？它們可不是人，它們是機——器——人！」她一字一頓地說出那三個字，「如果你什麼都不懂，就讓我來告訴你吧。它們偷走了人類的工作，所以政府才會那麼保護它們。它們幹活不要錢，就因為這個緣故，許多人家就得住牛棚屋，吃酵母糊——本來都是勤勞的好人家。如果我當老板，我會打爛所有的機——器——人，我向你們保證！」

其他人議論紛紛，而在力場門之外，群眾的鼓譟則越來越大聲。

貝萊（百感交集地）意識到機．丹尼爾．奧利瓦就站在自己旁邊。他望了望那些機器店員，它們都是地球貨，而且還是比較廉價的類型。這類機器人只懂得一些簡單事物，例如各種鞋子的型號、價錢和尺碼。它們能夠記錄貨品庫存量，這方面或許做得比人類更好，因為它們心無旁鶩。此外，它們還會計算下週的進貨量，並且蹲下來替顧客量腳丫。

它們本身有益無害，可是作為一個族群，它們卻萬分危險。

兩天前，不，兩小時前，貝萊還無法想像自己竟會這麼認同那名婦人的言論。但此時機．丹尼爾就在他身旁，令他忍不住自問，難道機．丹尼爾不可能取代一名C5便衣刑警嗎？想著想著，他彷彿看到了牛棚屋，嚐到了酵母糊，還憶起了自己的父親。

他的父親原本是一名核物理學家，在大城中擁有頂級的身份和地位。後來由於發電廠出了一樁意外，他的父親扛起責任，因而遭到了解雇。詳細情形貝萊並不瞭解，因為當年他才一歲。

但他清楚記得童年棲身的牛棚屋，那種難熬的集體生活簡直到了人類所能忍受的極限。母親死得很早，以至於他毫無記憶，但貝萊對父親的印象很深，他總是喝得醉醺醺，一副鬱鬱寡歡、窮困潦倒的模樣，偶爾還會用沙啞的聲音，有一句沒一句地訴說自己的過去。

當他八歲的時候，父親就去世了，至死都沒有復職。從此，小貝萊和兩個姊姊搬到了美其名為「兒童層」的孤兒區。他們雖然有個名叫波瑞斯的舅舅，但他自己也太窮了，根本自顧不暇。接下來的日子艱苦依舊。而在求學過程中，由於沒有權貴的家世替他鋪路，他在學校的日子也一直不順遂。

而現在，置身於一場逐漸升溫的暴動中，他卻必須鎮壓那些和自己命運相同的男女老少，畢竟，他們只不過是（和他自己一樣）擔心自己和他們所愛的人被機器人取代而已。

他以平板的語調，對剛才發表高見的那位婦人說：「女士，別再起鬨了，那些店員不會傷害你的。」

「它們當然沒有傷害我，」她又唱起了女高音，「它們也根本傷害不了我，我怎麼可能讓那些冷冰冰、油漬漬的手指碰到我呢？我光臨這家店，是指望能夠得到人類應有的待遇。我是大城的公民，我有權利找人類來為我服務。聽好，我家有兩個小孩等著吃晚飯，他們不能像孤兒那樣自己走進社區食堂，你們趕緊放我走。」

「唉，」貝萊覺得自己的火氣快要壓不住了，「如果你肯接受店員的服務，現在早就回家了。你根本就是無事生非，快別鬧了。」

「哎唷！」那婦人流露出驚訝的神色，「也許你認為可以不把我放在眼裡，可以隨便作踐我。也許政府該覺悟了，地球上不光只有機器人而已。我是個勤奮工作的婦女，應當享有一切權利。」她滔滔不絕，說個沒完沒了。

貝萊深感大事不妙，情況眼看就要失控了。即使那位婦人願意讓步，外面那些人卻早已群情激憤，什麼事都做得出來。

這個時候，櫥窗外面至少擠了上百人。自從這兩位便衣刑警進來之後，短短幾分鐘，圍觀群眾就增加了一倍。

「碰到這種情況，一般是如何處理的？」機・丹尼爾・奧利瓦突然發問。

貝萊差點要跳腳了。「這根本就不是一般情況。」

「法律怎麼說？」

「這些機字頭是依法派遣來工作的，它們是有照勞工，這裡沒有任何違法情事。」

兩人壓低聲音交談，與此同時，貝萊試著讓自己看起來既威嚴又兇悍，丹尼爾則依然毫無表情。

「既然這樣，」機・丹尼爾說：「命令那個婦人接受店員服務，否則馬上離開。」

貝萊揚了揚嘴角。「我們要應付的不是那婦人，而是一群蠢蠢欲動的暴民，看來只有請鎮暴組來處理了。」

「沒這個必要，一名執法人員就可以指揮這些公民了。」丹尼爾說。

他轉過頭來面向店長。「老板，請打開力場門。」

貝萊猛然伸出右手，卻在半途緊急煞住。他本想抓住丹尼爾的肩膀用力搖搖，可是在這個節骨眼，兩名執法人員如果公然衝突起來，可就代表再也沒有和平解決危機的希望了。

店長不想從命，望向貝萊求助，貝萊卻故意不接觸他的目光。

機・丹尼爾不為所動地說：「我以執法人員的權威命令你。」

店長喃喃抱怨：「如果有任何貨品或設備遭到損毀，我要大城政府負全責。我在此特別聲明，我這麼做只是奉命行事。」

無形的柵門降下了，外面的男女老少蜂擁而入。他們嗅到勝利的氣息，發出了快樂的喧嘩。

貝萊不但聽說過類似的暴動，甚至還親眼目睹過。他曾見到機器人被十幾隻手舉起來，沉重的身軀聽天由命地被傳過來又傳過去。人們用力拉扯、使勁扭折那些模仿人類的金屬之軀，鎚子、刀子、針槍通通出爐，終於將那些可憐的東西分解成一堆破銅爛鐵和電線。而好些昂貴的正子腦，原本是最複雜、最精密的人類心智產物，卻像足球一樣被拋來拋去，不久便爛成一團廢物。

然後，毀滅的本能如同脫韁野馬，一發便不可收拾，暴民開始尋找任何可以拆卸搗毀的東西。

那些機器店員或許對這些歷史毫不知情，可是當群眾一擁而上，它們便開始嘰呱亂叫，並將雙臂舉到臉部，就像啟動了一種原始的自我保護反應。至於那名引發事端的婦人，眼見事態突然發展到始料未及的地步，她嚇得張大了嘴，上氣不接下氣地說：「好了，住手。好了，住手。」

她的帽子被撞到了臉上，她的聲音變成了毫無意義的尖叫。

而店長同樣在尖叫：「阻止他們，警官，阻止他們！」

這時，機．丹尼爾開口了。他雖然明明以普通的方式說話，音量卻陡然升高，超出人類所能達到的分貝。當然啦，貝萊第十次想到，他並不是……

機．丹尼爾說：「誰敢動一動，誰就是靶子。」

站在很後面的一個人大喊：「抓住他！」

但一時之間，沒有人採取行動。

機．丹尼爾利用一張椅子當跳板，以敏捷的身手跳到了一個材質展示櫃上。櫃中的極化分子薄膜從隙縫間透出彩色的螢光，照在他的冷漠臉龐上，令人覺得他好像不屬於這個空間。

對，不屬於這個空間，貝萊心想。

整個現場頓時成了一幅靜止的畫面，機．丹尼爾更是不動如山，令人望而生畏。

等了一陣子之後，機．丹尼爾朗聲道：「你們想必正在議論紛紛，此人手中拿的不是神經鞭就是癢癢針，只要我們一起向前衝，就能將他推倒，頂多一兩個人受傷，但不會有生命危險。然後，我們就能為所欲為，把法律和秩序拋到外太空去。」

他的聲音既不嚴厲也不憤怒，卻帶有權威性，是一種充滿自信的命令口吻。只聽他繼續說：

「你們錯了，握在我手中的既不是神經鞭，也不是癢癢針，而是一柄威力強大的手銃。我會毫不猶豫地開火，而且保證百發百中。在你們抓住我之前，我將盡量解決你們，或許能夠殺掉一大半。我說得出做得到，你們看看我像不像在開玩笑？」

群眾的最外圍開始出現一些動作，不過人數再也沒有增加。雖然還是有些路人出於好奇而駐足，但原本看熱鬧的人卻紛紛散去。至於最靠近機．丹尼爾的幾個人，他們不但屏住氣息，而且拚了命站穩腳跟，以免後面的人將自己向前推。

最後，還是那個戴帽子的婦人打破了僵局，她突然一面大哭，一面嘶喊：「他要殺了我們。我可什麼都沒做。喔喔喔，讓我出去。」

她猛然轉身，面對的卻是一堵無法撼動的緊密人牆，只見她雙腳一軟，便跪倒在地上。此時，這群沉默群眾向後退卻的趨勢更加明顯了。

機．丹尼爾從展示櫃上跳了下來，對眾人說：「我現在要走向門口，誰碰碰我誰就沒命。等我走到門口，如果還有任何人捨不得離開這裡，我就要開始掃射了。這位女士……」

「不，不。」那婦人吼道，「我告訴你，我什麼都沒做，我沒有任何壞心眼。我不要買鞋了，我只想趕快回家。」

「這位女士，」丹尼爾繼續說：「必須留在這裡，買完鞋子再走。」

他邁開腳步。

一大群人面對著他，誰也不敢哼一聲。貝萊閉上了眼睛，束手無策地想，這可不是我的錯；雖然接下來一定會鬧人命，還會出現史無前例的大亂，但這並不是我的錯，誰叫他們硬塞一個機器人當我的搭檔，還給了他與我一樣的官階。

但這根本不算理由，他連自己都說服不了。他應該一開始就阻止機．丹尼爾，他應該把握時間盡快請求警車支援。可是他什麼都沒做，而是讓機．丹尼爾負責處理，自己還因此偷偷鬆了一口氣。而當他試圖拿「機．丹尼爾的本領足以控制場面」這個理由自我安慰，突然忍不住厭惡起自己來。讓一個機器人控制……

好一會兒過去了，並未出現不尋常的聲音，既沒有叫囂和咒罵，也沒有呻吟或嘶喊。他慢慢張開了眼睛。

群眾正在散去。

那名店長逐漸恢復了鎮定，他一面拉拉外套，整整頭髮，一面衝著離去的群眾咕噥一堆狠話。

外面傳來一陣由遠而近的警車笛聲，直到抵達門口才停止，貝萊心想：哈，來得可真是時候。

店長拉了拉貝萊的袖子。「我不想把事情鬧大，警官。」

貝萊說：「不會鬧大的。」

打發警車上的巡警是很容易的一件事。他們之所以趕來這裡，是因為據報這條街上有群眾聚集，但他們並不瞭解詳情，這時又親眼看到此地毫無異狀。貝萊負責對巡警解釋事情的來龍去脈，他刻意避重就輕，而且絕口不提有機．丹尼爾這號人物。機．丹尼爾則站到一旁，絲毫沒與趣和巡警打交道。

事後，貝萊將機．丹尼爾拉到一旁，令他靠在一根鋼筋水泥柱上。

「聽好，」他說：「你該瞭解，我並不是要搶你的舞台。」

「搶舞台，這是地球的慣用語嗎？」

「我並沒有向巡警報告你的所作所為。」

「我對你們的行事慣例不能說百分之百瞭解，可是在我們的世界，做報告就應該盡量完整，但也許你們的世界有著不同的標準。無論如何，一場暴亂已經化解了，這才重要，對不對？」

「是嗎？你給我聽好了。」雖然必須壓低聲音，貝萊仍舊試圖讓這句話盡可能強而有力。「今後再也別這麼做了。」

「再也別堅決執法？如果不這麼做，我還有什麼其他用途？」

「我是說，再也別拿手銃威脅人類。」

「在任何情況下，我都不會開火的，以利亞，這點你再明白不過，我無法傷害任何人類。可是，你自己也看到了，我根本不必開火，我早就料到沒這個必要。」

「那只是天大的僥倖，我是指你不必開火這件事。再也別冒這種險了，這種搏命演出其實我也……」

「搏命演出？那是什麼？」

「別管了，你能體會我的意思就行了。我自己也可以拿手銃指著群眾，我隨身也帶了一柄。

可是不論你或我，於情於理都不該玩這種遊戲。比起一個人逞英雄，請求警車支援要安全得多。」

機．丹尼爾將這番話咀嚼了一番，然後搖了搖頭。「我認為你說得不對，以利亞夥伴。根據我所接受的有關地球人特質的簡報，你們不像我們外圍世界的同胞，你們一生下來就開始學習接受權威，顯然這是你們的生活方式所導致的結果。而我剛剛證明了一件事，一個人只要堅決地擺出權威的架式，就能鎮住一大群人。老實說，你想請求警車支援這種衝動，恰好說明你本能上想尋求更高的權威來替你承擔起責任。當然，如果換成是我的世界，我承認自己剛才的舉動極不恰當。」

貝萊氣得漲紅了臉。「萬一他們認出你是機器人……」

「我確定他們認不出來。」

「無論如何，牢牢記住你是機器人。你不多不少，剛好是個機器人而已，就像鞋店裡那些機器店員。」

「這毫無疑問。」

「重點是你並非人類。」雖然萬分不願，貝萊還是覺得有必要說出這個殘酷的事實。

機．丹尼爾似乎聽進去了，他想了想才說：「或許人類和機器人的分野，比不上有沒有智慧來得重要。」

「也許你們的世界是這樣。」貝萊說：「地球上卻另當別論。」

他看了看手錶，幾乎不敢相信已經耽擱了一小時又一刻鐘。一想到機・丹尼爾贏了第一回合，而且是在自己束手無策的情況下贏的，他的喉嚨不禁一陣又乾又痛。

他突然又想到了文森・巴瑞特，那個被機・山米取代的年輕人，而如今他自己，以利亞・貝萊，也隨時有可能被機・丹尼爾取代。耶和華啊，當年父親被趕出發電廠，至少是因為出了意外，害死了一些人。也許真的是父親的錯，這點貝萊也說不準。然而，假使當年他被掃地出門，只是因為必須將職位讓給一名機器物理學家，而沒有其他任何原因，萬一真是這樣，父親也同樣無計可施。

想到這裡，他突然冒出一句：「走吧，我得帶你回家去。」

機・丹尼爾說：「我認為，除了智力之外，其他的區分標準並不……」

貝萊提高音量說：「好啦，討論結束了，潔西還在等我們呢。」他向最近的一個區內通訊管走去，「我最好先通知她，我們馬上就到了。」

「潔西？」

「我太太。」

耶和華啊，貝萊想，我竟然要用這種心情來面對潔西。

第四章　家人

想當年，以利亞·貝萊第一次真正注意到潔西，正是因為她叫這個名字。時間是02年，場合是社區的耶誕晚會，地點則是一缸水果酒旁。那時他剛完成學業，剛在大城找到第一份公職，也剛搬進這個社區，住在122A號公共住宅一個還算不錯的單身套房裡。

她當時正在發送水果酒。「我叫潔西，」她說：「潔西·納伏尼。我好像沒見過你？」

「我叫貝萊，」他答道：「利亞·貝萊。我才搬進這個社區。」

他接過那杯水果酒，露出機械式的笑容。由於潔西給人一種開朗友善的感覺，因此他並沒有馬上走開。人生地不熟的他，在這種晚會中，看到人們三三兩兩聚在一起，自己卻無法融入，難免有一種落寞感。等到足夠的酒精下肚，情況或許會好一點吧。

於是，他暫且待在酒缸旁，一面看著人來人往，一面若有所思地啜飲。

「這酒是我和朋友一起調的，」那女孩的聲音打斷他的思緒，「所以我保證好喝，你要不要再來一杯？」

貝萊這才注意到自己的杯子空了，他微微一笑，答道：「好啊。」

那女孩有一張鵝蛋臉，算不上漂亮，主要是因為她的鼻子稍微大了些。她的穿著端莊，淺棕色的頭髮在額前梳成捲捲的瀏海。

她陪他喝了一杯水果酒，他的心情變好了。

「潔西——」他咀嚼著這兩個字，「嗯，真好聽。我可不可以就這樣叫你？」

「只要你喜歡，當然可以。你知道這名字的由來嗎？」

「潔西嘉的簡稱？」

「你永遠猜不到的。」

「我想不到其他答案了。」

她哈哈大笑，用淘氣的口吻說：「我的全名是耶洗別。」

貝萊的好奇心猛然高漲，他放下酒杯，連忙追問：「不會吧，真的嗎？」

「天地良心，我可沒開玩笑，正是耶洗別。我在所有的文件記錄上，都是登記這個如假包換的名字，我父母喜歡這三個字的發音。」

雖說在這個世界上，大概再也找不到比她更不像「耶洗別」的女子，她卻對這個名字相當自豪。

貝萊一本正經地說：「你已經知道了，我叫以利亞，我的意思是，我的全名叫以利亞。」

她並沒有什麼特別的反應。

他又說：「以利亞是耶洗別的死敵。」

「是嗎？」

「千真萬確，《聖經》裡有詳細記載。」

「哦？我並不知道。這豈不是太有趣了嗎？我希望在真實生活裡，你不會因此變成我的死敵。」

至少就這點而言，打從一開始就毫無疑問。起初，正是由於名字上的巧合，使她不再只是酒缸旁一個親切的女孩而已。可是後來，他又逐漸發覺她不但開朗活潑，而且心地善良，最後甚至越看越漂亮。他尤其欣賞她的爽朗個性，自己憤世嫉俗的人生觀正需要這樣的良藥。

不過，潔西似乎從不介意他總是拉長了臉，而且一臉嚴肅。

「哎呀，」她說：「就算你看起來的確像個酸檸檬又如何？反正我知道真正的你不是那樣。而且我想，如果你像我一樣，一天到晚嘻嘻哈哈，那麼我們兩人在一起，豈不是要笑爆了？你就保持原來的個性，利亞，這樣我就不必擔心會飄走了。」

反之，利亞．貝萊因為有了她，就不必擔心自己會沉沒。不久之後，他申請到了一間雙人公寓，但條件是結婚之後才能入住。他將文件拿給她看，並說：「你能不能幫助我脫離單身套房，潔西？我不喜歡住在那裡。」

這也許並非世上最浪漫的求婚方式，但正中潔西下懷。

在貝萊的記憶中，潔西始終維持一貫的開朗，而唯一的一次例外，竟然也和她的名字有關。那是婚後的第一年，他們的孩子班特萊尚未出生，更精確地說，那是潔西懷孕的頭一個月（根據他倆的智商等級、基因價值，以及貝萊在警局的職位，他們有資格生兩個，而且婚後第一年就可以懷第一胎）。後來每當貝萊想起這件事，總覺得她之所以如此浮躁，或許和剛剛懷孕脫離不了關係。

那段時間，由於貝萊經常加班，潔西早已有點不高興。

她說：「我每天晚上一個人在食堂吃飯，實在很尷尬。」

貝萊已經累了，情緒自然欠佳。他答道：「何必抱怨呢？你剛好有機會認識幾個黃金單身漢。」

不用說，她立刻火冒三丈。「利亞．貝萊，你以為我吸引不了他們嗎？」

或許只是因為他太累了，也或許是因為他的學長朱里斯．恩德比在C階上又升了一級，而他自己卻落空；不過也有可能，只不過是因為他有點厭倦了她的矛盾心理——她總是試圖表現得像「耶洗別」，偏偏她根本不是那種人，也永遠不可能成為那種人。

總之，他以帶刺的口吻說：「我相信你可以，但我不信你會那樣做。我希望你忘掉那個名字，好好做你自己。」

「我愛做誰就做誰。」

「模仿耶洗別對你毫無意義。如果你真想知道實情，我可以告訴你，這個名字並不代表你想像中那個意思。《聖經》裡的耶洗別，根據她自己的標準，可說是個忠貞的好妻子。我們沒聽說過她有情夫，而且她從不過度享樂，在道德上也謹守份際。」

潔西氣呼呼地瞪著他。「並非如此。我聽過『濃妝艷抹的耶洗別』這種說法，我知道那是什麼意思。」

「也許你只是自以為是，現在聽我說：當耶洗別的丈夫亞哈王去世之後，他的兒子約蘭繼位，後來一位軍事將領耶戶起兵叛變，射殺了約蘭。然後，耶戶啟程前往耶斯列，去找住在那裡的太后，也就是耶洗別。耶洗別聽到這個消息，知道自己難逃一死，在驕傲和勇氣的驅使下，她擦脂抹粉，穿上最華麗的服裝，繼續扮演高高在上的王后，以便藉機羞辱耶戶。結果，她被耶戶從王宮窗戶扔出去摔死了，可是在我看來，她這是死得其所。所以，人們所說的『濃妝艷抹的耶洗別』其實是這個意思，雖然很多人並不知道這個典故。」

次日晚上，潔西輕聲說：「利亞，我讀過《聖經》了。」

「什麼？」一時之間，貝萊真的一頭霧水。

「我讀了耶洗別的故事。」

「喔！潔西，我向你道歉，你可別傷心難過，是我太幼稚了。」

「不，不。」她推開他放在自己腰際的手，坐到了沙發上；她表情冷淡，姿態僵硬，而且和他保持好一段的距離，「能知道真相真好，我不希望被無知愚弄。所以我讀了關於她的記載，她的確是個邪惡的女人，利亞。」

「嗯，那幾章都是她的敵人寫的，我們無從知曉她的觀點。」

「凡是她能抓到的先知，她通通殺害了，一個也沒放過。」

「歷史是這樣記載沒錯。」貝萊將手伸進口袋，想找一條口香糖。（多年後，他終於戒了這個習慣，因為潔西一再說，他的那張長臉配上一對棕色眼珠，嚼口香糖就像老牛嘴裡塞了一團難吃的牧草，嚥不下也吐不出來。）然後他說：「如果你想知道她的觀點，我可以替你揣摩一下。她珍惜祖先傳下來的宗教，早在希伯來人來到之前，她的祖先早已在那片土地上安居樂業。希伯來人帶來他們自己的神，而且，那還是個排他性極強的神。他們覺得僅僅自己敬拜祂並不夠，還要求勢力範圍之內所有的民族一起信奉。

「耶洗別是個守舊派，她堅持原本的信仰，不肯改信新的宗教。畢竟，那個新宗教或許具有較高的道德意涵，但是她原本的信仰卻比較能撫慰人心。她殺害教士的舉動，只能說明她是那個時代的人物。在她那個時代，那是逼人改變信仰常用的一種手段。如果你讀〈列王記上〉，一定要注意以利亞——這回換我的名字出場了——曾經和八百五十名巴力的先知比賽，看誰的神能夠降下天火。以利亞贏了之後，立刻命令圍觀者殺死那八百五十名巴力的先知，而他們真的照做了。」

潔西咬了咬嘴唇。「可是拿伯的葡萄園那件事呢，利亞。那個拿伯又沒招誰惹誰，只不過拒絕將葡萄園賣給國王，耶洗別竟然就找人作偽證，硬說拿伯犯了什麼褻瀆罪。」

「正確的說法是他『謗瀆神和王』。」貝萊說。

「對，於是他們將他處死，然後沒收了他的產業。」

「那樣做的確不對。換成了現代，當然很容易處理這樣的問題。如果我們的大城需要拿伯的產業，甚至遠在中世紀，如果某個國家需要他的產業，法院就能命令他交出來，若有必要甚至可以強制執行，然後付給他一筆他們認為合理的補償金。可是，亞哈王當年沒有這種制度可用。話說回來，耶洗別的解決方式也是不對的，唯一情有可原的是，當時亞哈王被這件事差點氣壞了身體，所以她覺得，自己對於丈夫的愛高過了約拿的身家性命。我一直對你強調，她是個忠貞妻子的典……」

潔西氣得面紅耳赤，立刻站得遠遠的。「我覺得你真是卑鄙惡毒。」

他充滿無力感，望著她說：「我做了什麼？你到底怎麼啦？」

她什麼也沒說，便離開了公寓，在次乙太影音層待了大半個夜晚，賭氣般地匆匆瀏覽一部又一部影片，用光了她自己兩個月的配額（她丈夫的配額也不能倖免）。

當她回到公寓時，利亞．貝萊仍在熬夜等她，但她並沒有再說什麼。

後來——很久以後——貝萊才終於想通，自己當天已將潔西生命中很重要的一部分徹底摧毀了。在她心目中，她的名字代表了某種耐人尋味的邪惡，對於她那拘謹的、過度正派的人生而言，那是一種令人愉快的調劑。換言之，這個名字帶給她一種道德出軌的幻想，而她相當珍愛這件事。

可是這已經一去不返了。從此以後，不論是對利亞或是她自己的朋友，她全都再也未曾提起「耶洗別」這三個字，而且貝萊還推測，她自己也試圖忘掉這個名字。她就是潔西，沒有其他名字，此後她簽名也一律用這兩個字。

幾天後，她終於不再和他冷戰，然後過了大約一星期，他們的關係恢復了正常，雖然偶爾還是會爭吵，但再也沒有吵得那麼兇。

前後只有一次例外，但也只是間接提到那個話題而已。那是在她懷孕八個月的時候，由於剛剛辭去A23社區食堂助理營養師的工作，突然閒下來很不習慣，她索性以準媽媽的種種想望和準備工作來打發時間。

某天晚上，她忽然說：「班特萊好不好？」

「什麼，親愛的？」正在家裡加班的貝萊，從一堆公文中抬起頭來（由於馬上要多一張嘴，而潔西的收入又沒了，再加上他自己調升外勤的日子遙遙無期，加班自然有其必要）。

「我是說，如果我們生男孩，叫他班特萊好嗎？」

貝萊扁起嘴。「班特萊．貝萊？你不覺得聽起來太重複了？」

「這點我不確定，我只是覺得這個名字自有一種韻律。而且，等到孩子長大了，隨時可以自己選個喜歡的名字放在中間。」

「好吧，我並不反對。」

「你確定嗎？我是說……或許你希望他也叫以利亞。」

「於是人們得稱他小以利亞？我認為這並非好主意，如果他有心，不妨替他自己的兒子取名為以利亞。」

然後潔西又說：「還有一件事……」但沒有再說下去。

過了一會兒，他抬起頭來。「什麼事？」

她並未迎向他的目光，但口氣仍不失強而有力。「班特萊並不是《聖經》上的名字，對嗎？」

「不是，」貝萊說：「這點我相當肯定。」

「那就好，我就是不想用《聖經》上的名字。」

到了今天，也就是以利亞·貝萊帶著機器人·丹尼爾·奧利瓦回家那一天，他們結婚已經超過十八年，兒子班特萊·貝萊也已經十六歲（仍未選定一個中間名字），可是算來算去，往事重提也就那麼一次而已。

在亮著「男用衛生間」幾個大字的雙扇門前，貝萊停下了腳步。門上還有幾個較小的字體：「A—E子區」，而在鑰匙縫的正上方，另有一行更小的字：「萬一遺失鑰匙，立即聯絡27—0—5」。

一名男子和他倆擦身而過，將一個鋁製薄片插入鑰匙縫，然後走了進去。男子隨手關上門，絲毫沒有讓貝萊一起進去的意思。其實假如他那麼做，反倒是對貝萊的大不敬。根據一個根深柢固的習俗，在衛生間裡面或者門口，男性彼此之間一定要做到互不理睬。不過貝萊記得，當他和潔西交換夫妻小祕密的時候，潔西曾經告訴他，女用衛生間的情形卻完全不同。

她總是這麼說：「我今天在衛生間遇到了約瑟芬·葛瑞利，她告訴我……」

後來，隨著貝萊的晉升，家中臥室的臉盆終於獲准啟動，潔西的社交生活便打折扣了。或許，這就是階級提升所帶來的懲罰吧。

貝萊說：「請在外面等我，丹尼爾。」他未能完全掩飾自己的尷尬。

「你打算梳洗一番嗎？」機．丹尼爾問。

貝萊立刻惴惴不安，心想：該死的機器人！如果他們曾經對他簡報過鋼穴中的一切，為何不順便教教他規矩？萬一他對別人也這麼問東問西，我還得替他負責。

他說：「我要沖個澡。到了晚上就很擁擠，那時候再洗會浪費時間。如果我現在洗完，整個晚上都是我們的。」

機．丹尼爾仍然一臉安詳的表情。「是不是根據社會習俗，我應該等在外面？」

貝萊感到更加尷尬。「你又何必進去，這……這毫無意義。」

「喔，我瞭解了，沒錯，當然沒錯。話說回來，以利亞，我的手也弄髒了，我想洗洗手。」

他攤開雙手，伸到貝萊面前。那雙手看來粉粉嫩嫩，還有著幾可亂真的掌紋。在這雙手掌上，貝萊看到了一絲不苟的絕頂工藝成就，但就是沒看見絲毫污垢。

貝萊說：「你知道嗎，我的公寓裡有臉盆可用。」這句話他只是隨口一提，反正即使刻意炫耀，機器人也聽不出來。

「謝謝你的好意，然而總地來說，我認為還是利用一下這個地方比較好。既然我要和你們地球人住在一起，最好盡量多多習慣你們的習俗和觀點。」

「那就進來吧。」

衛生間裡的環境清雅舒適，和大城中其他各處的實用主義風格形成強烈對比，偏偏今天貝萊感覺不到任何明亮或愉悅的氣氛。

他對丹尼爾悄聲說：「我大概要花上半小時，你在這裡等我。」他向前走去，又折回來補了一句：「聽好，別跟任何人說話，也別望著任何人。一個字也別說，一眼也別看！這就是習俗。」

他匆忙地四下張望一番，以確定這番交談未被任何人聽到，也沒有接觸到任何驚訝的目光。幸好這個前廊沒有別人，但畢竟這只是前廊而已。

他隱隱感到了渾身的汗臭，迫不及待地向內走去，經過公共澡堂，來到了私人小間。早在五年前，他就榮獲一個夠大的私人間，裡面有淋浴設備、小型洗衣機，以及其他各種必備的裝置，此外還有一個小型投影機，可用來放映新聞影片。

「簡直就是另一個家。」這是他首次使用小間的時候說的一句玩笑話。可是如今，他卻常常擔心，萬一這個特權給取消了，他該如何自我調適，重新適應那種斯巴達式的公共澡堂。

他按鈕啟動了洗衣機，光滑的儀錶板隨即亮了起來。

機．丹尼爾則一直在耐心等待，終於等到貝萊全身洗淨，穿上了乾淨筆挺的衣褲，全身舒爽地向他走過來。

「沒問題吧？」當兩人走出去，並且走了一段距離之後，貝萊才開口。

「毫無問題，以利亞。」機．丹尼爾答道。

潔西帶著緊張的笑容守在家門口，貝萊上前吻了她一下。

「潔西，這是我的新搭檔，」他含糊其詞地說：「丹尼爾．奧利瓦。」

潔西伸出右手，機．丹尼爾輕輕握了一下。然後，她回到了丈夫身邊，羞怯地望著機．丹尼爾。

她說：「請你坐一會兒好嗎，奧利瓦先生？我必須和我先生談點家務事，一下子就好，希望你別介意。」

她抓著貝萊的袖子，他便乖乖跟她進了隔壁房間。

然後，她急忙壓低聲音說：「你沒受傷吧？聽到廣播後，我一直在擔心。」

「什麼廣播？」

「將近一小時前播出的，主要是說有家鞋店險些發生暴動，還說是兩名便衣刑警阻止的。我知道你當時正帶著一個搭檔回家，事情又正好發生在我們這個子區，而且時間也那麼湊巧，所以我想他們可能報喜不報憂，你已經……」

「拜託，潔西，你看我不是好好的嗎？」

潔西努力讓自己平靜下來，然後以顫抖的聲音說：「這個搭檔並不是你們那個部門的，對不對？」

「對。」貝萊無奈地答道，「他不是……不是什麼熟人。」

「我該怎麼招待他？」

「就像招待任何人一樣，他只是我的搭檔，如此而已。」

他的語氣完全欠缺說服力，潔西那雙銳利的眼睛瞇了起來。「有什麼不對勁？」

「沒有。來吧，我們趕緊回起居室，不然客人要覺得奇怪了。」

利亞．貝萊對這間公寓突然有些失去信心，在此之前，他從來沒有這樣的感覺。事實上，這間公寓總是令他感到自豪。它總共有三個房間，每間都有壁櫥，而且相當寬敞，例如起居室長寬各為十八和十五英尺。有一條主通風管剛好通過他家，雖然偶爾有些隆隆的噪音，但另一方面，這代表他家擁有一流的溫控和濕控。至於最大的便利，則是這裡距離男女衛生間都不算遠。

可是現在，一個外太空世界製造的怪物坐在它正中央，使得貝萊突然信心動搖，覺得這間公寓似乎變得又破又窄。

潔西帶著有點虛偽的好心情問道：「利亞，你和奧利瓦先生吃過了嗎？」

「事實上，」貝萊迅速回答，「丹尼爾已經吃飽了，不過我還沒吃。」

潔西毫無異議地接受了這個答覆。由於食物供應受到嚴格的限制，配給越來越緊縮，婉謝他人的招待成了一種禮貌。

她說：「奧利瓦先生，希望你不介意我們開始用餐。利亞、班特萊和我通常是在社區食堂吃飯，一來比較方便，二來菜色豐富，你知道吧，還有我可以透露一個小祕密，第三個好處就是份量比較多。然而，利亞和我的確有權可以每週在家吃三頓——利亞在局裡相當受賞識，所以我們有非常好的地位——我想這是個難得的機會，如果你不反對，改天我們就在家裡辦一場私人宴席，雖說我堅決認為，你也知道，過度使用隱私特權的人多少有些反社會的傾向。」

機．丹尼爾一直溫文有禮地聽著。

貝萊說：「潔西，我餓了。」同時偷偷做了一個「噓——」的手勢。

機．丹尼爾說：「貝萊太太，如果我直接叫你的名字，會不會有違禮俗？」

「啊，不，當然不會。」潔西從牆壁裡拉出一張折疊桌，再將加熱器插進桌子中央的凹槽。

「只要你喜歡，儘管叫我潔西，而我就叫你——呃——丹尼爾。」她吃吃笑了笑。

貝萊立刻大怒。才短短幾分鐘，情況竟變得越來越不對頭了。潔西以為機．丹尼爾是個真人，所以事後一定會在女用衛生間好好吹噓一番。更何況，這機器人是個不苟言笑的美男子，而且他的禮數讓潔西分外欣賞，這點誰都看得出來。

貝萊不禁納悶，潔西給機．丹尼爾的印象又如何呢？過去十八年來，她並沒有多大的改變，至少利亞．貝萊看不出來。當然，她的體重增加了些，她的身形再也無法散發青春活力；她的嘴角出現了皺紋，臉頰則顯得有點鬆垮。至於她的頭髮，不但色澤稍微褪去，而且髮型更保守了。

可是，貝萊沒好氣地想，這一切根本就無關緊要。在那些外圍世界，女性無論外形或氣質一律不輸給男性，至少書上是那麼說的，而機．丹尼爾一定看慣了那樣的女性。

然而，潔西似乎並未嚇著機．丹尼爾，不論是她的言談或外表，或是她貿然直呼他的名字，都沒有令他出現任何負面反應。這時他說：「你確定這樣妥當嗎？潔西這個名字似乎是個暱稱，或許僅限於親朋好友使用，而我應該稱呼你的正式名字才合適。」

潔西正在解開晚餐外面的隔熱包裝，她忽然低下頭，全神貫注於手頭的工作。

「就是潔西，」她硬邦邦地說：「大家都這樣叫我，我沒有別的名字。」

「很好，一言為定，潔西。」

這時大門打開，一個男孩規規矩矩走進來，他幾乎立刻看到了機．丹尼爾。

「爸？」男孩有點不知所措。

「這是小兒班特萊，」貝萊並未提高音量，「班，這位是奧利瓦先生。」

「他是你的搭檔，對不對，爸？你好你好，奧利瓦先生。」班的雙眼睜得又大又亮，「對了，爸，那家鞋店裡發生了什麼事？新聞幕說……」

「現在別發問，班。」貝萊猛然打斷他的話。

班特萊臉一沉，隨即向母親望去，她則示意要他坐下。

「我交代你的事都做完了嗎，班特萊？」兒子一坐下，她就這麼問他，同時伸出雙手，愛憐地撫過他的頭髮。他的髮色和父親一樣深，身高也快趕上父親了，但其他的特徵似乎全部遺傳自母親，包括他的鵝蛋臉，他的淡褐色眼珠，以及他那瀟灑的人生觀。

「那還用說，媽。」班特萊一面說，一面急忙傾身查看冒著熱氣的雙層盤，「今天我們吃什麼？不會又是酵母牛肉吧，媽？啊，媽？」

「酵母牛肉並沒有什麼不好。」潔西抿起嘴來，「好了，有什麼你就吃什麼，別再發表任何高見。」

相當明顯，他們的晚餐正是酵母牛肉。

接著貝萊也就座了，雖然他同樣希望吃些別的，而不是氣味嗆鼻而且久久揮之不去的酵母牛肉，但潔西早就對他解釋過自己的難處。

「唉，我就是沒辦法，利亞。」她當時這麼說：「我整天就在這幾層上上下下，我絕對不能樹敵，否則日子可難過了。我們這一層，幾乎家家戶戶都沒有在家吃飯的特權，連週日也不例外，而且人人都知道我當過助理營養師，如果我每兩週就帶一塊牛排或雞肉回家，她們會說我在食物籌備室有熟人或其他門道。於是閒話便會沒完沒了，沒完沒了，那我可就一隻腳也踏不出門了，連上衛生間都會心驚膽戰。其實，酵母牛肉和原生蔬菜都是非常好的食物，不但能提供均衡的營養，而且絲毫不浪費，此外實事求是地說，這兩種東西富含人類所需的各種維生素和礦物質等養分，還有別忘了，每當『雞週二』我們都可以去食堂大吃一頓雞肉。」

貝萊很容易就被說服了，正如潔西所說，生活的首要課題就是學習盡量減少和周遭眾人的摩擦。反之，班特萊就比較難以接受。

這回他又借題發揮：「唉，媽，我為什麼不能拿爸的餐券自己去食堂吃？我寧可那麼做。」

潔西惱怒地搖了搖頭，然後說：「你真有出息啊，班特萊。想想看，如果讓人看到你一個人在那兒吃飯，好像家人對你不好或是把你趕出了公寓，別人會怎麼說？」

「嗯，唉，別人才不會多管閒事呢。」

貝萊的聲音透著不安：「聽你媽的話，班特萊。」

班特萊聳了聳肩，一副不高興的樣子。

機．丹尼爾的聲音突然從另一個角落傳過來，他說：「你們吃飯的時候，能否允許我看看這些膠捲書？」

「喔，當然行。」班特萊趁機下了桌，而且一臉興味盎然的表情，「那些書都是我的，學校特別允許我從圖書館借出來。我替你拿我的閱讀鏡，又新又好用，是爸上回送給我的生日禮物。」

他將閱讀鏡拿給機．丹尼爾，然後說：「你對機器人有興趣嗎，奧利瓦先生？」

貝萊突然失手掉了湯匙，連忙彎腰撿起來。

機．丹尼爾說：「有的，班特萊，我相當有興趣。」

「那你就會喜歡這些書，它們都是在談論機器人。學校要我寫一篇關於機器人的文章，所以我正在做研究，這是個相當複雜的題目。」他自豪地強調，隨即補充道：「我自己的立場是反對機器人的。」

「坐下，班特萊。」貝萊氣急敗壞地說：「別打擾奧利瓦先生。」

「他並沒有打擾我，以利亞。我很樂意和你討論這個問題，不過得改天，我和你父親今晚會非常忙。」

「謝謝你，奧利瓦先生。」班特萊回到座位上，臭著臉望了望母親，然後用叉子切下一塊鬆軟的粉紅色酵母牛肉。

貝萊尋思：今晚會非常忙？

然後，隨著腦中一聲轟然巨響，他記起了自己確有要務在身——他不但想起了太空城裡有個太空族死於非命，還忽然想通了，原來過去幾個小時，他深陷於自己的困境之中，以至於完全忘了這樁冷血謀殺案。

第五章　分析

潔西穿了一件角纖維小外套，戴上一頂很正式的帽子，然後向兩位男士道別：「不好意思，我失陪了，奧利瓦先生，我知道你和利亞有很多事要討論。」

她一面開門，一面把兒子往外推。

「你什麼時候回來，潔西？」貝萊問。

她頓了頓才說：「你希望我什麼時候回來？」

「嗯……你沒必要整夜待在外面，何不仍照平常時間回來？子夜左右吧。」他望向機．丹尼爾，希望他有所表示。

機．丹尼爾點了點頭。「很抱歉把你趕出了家門。」

「千萬別這麼說，奧利瓦先生，我可不是被你趕出去的，我們幾個姊妹淘晚上經常聚會。走吧，班。」

男孩萬分不情願。「啊，為什麼我也非去不可，我又不會打擾他們，真是的！」

「快，聽話。」

「那麼，為何我又不能和你一起去影音層？」

「因為我要跟幾個朋友聚聚，而你有別的事……」此時大門便關了起來。

這一刻終於來了。在此之前，貝萊在心裡一直將它往後延，他對自己說：先會會那個機器人，看看他到底什麼樣子；然後又告訴自己：先帶他回家再說；最後則是：先吃飯吧。

可是現在，那些事情都成了過去式，他再也沒有推遲的藉口。此時此刻，他終於要正面迎戰那宗謀殺案，迎戰相關的星際糾紛，並且迎戰升級、降級甚至撤職的各種可能性。而他根本不知從何著手，只好向這個機器人求助。

他漫不經心地用指甲在餐桌上劃來劃去——晚餐結束後，這張桌子還沒來得及收回牆內。

機．丹尼爾問：「我們遭到竊聽的機會有多大？」

貝萊驚訝地抬起頭來。「不會有人偷聽別人家公寓裡的動靜。」

「所以說，你們的習俗裡沒有竊聽這回事？」

「應該說沒有人會這麼做，丹尼爾。與其擔心竊聽，你還不如擔心別人——我想想——擔心他們會在你吃飯的時候瞪著你的餐盤。」

「或是擔心有人會犯下謀殺案？」

「什麼？」

「殺人絕對有違你們的習俗，對不對，以利亞？」

貝萊覺得火氣上來了。「給我聽好，如果你希望和我搭檔，千萬別模仿太空族的自大狂。你沒這個資格，機．丹尼爾。」他忍不住特別強調那個「機」字。

「如果戳到你心中的痛處，我願意向你道歉，以利亞。我的本意只是想指出，既然人類偶爾會打破習俗，犯下謀殺案，就同樣能違背習俗，做些像竊聽這種小惡。」

「這間公寓的隔音足夠好。」貝萊仍然皺著眉頭，「你並未聽見左鄰右舍傳來任何聲音，對不對？好啦，同理他們也聽不到我們。何況，怎麼可能會有人想到我們正在討論重要事件呢？」

「我們可別低估了敵人。」

貝萊聳了聳肩。「我們開始吧。我掌握的資料很簡略，所以三言兩語便很容易交代清楚。我知道有一位奧羅拉星的公民，他同時也是太空城的居民，名叫拉吉．尼曼奴．薩頓，遭到了不明兇手的殺害。此外我還瞭解，太空族認為這並非一樁單一的個案，我說得對不對？」

「你說得相當正確，以利亞。」

「太空族目前在推動一項計畫，打算以外圍世界為藍本，將地球轉化為人類和機器人融於一爐的社會，但這項計畫最近屢遭蓄意破壞，於是他們將兩件案子聯想在一起，假設謀殺案的兇手來自一個組織嚴密的恐怖集團。」

「對。」

「很好，那麼首先要討論的，就是太空族的假設真能成立嗎？那樁謀殺案的兇手，為何不能是一個獨來獨往的狂熱份子？地球上的確有強烈的反機器人情緒，可是並沒有任何組織在宣揚這種暴力行為。」

「也許只是並未公開宣揚。」

「即使真有一個專門破壞機器人和機器人工廠的祕密組織，它的成員也應該有點常識，明白謀殺太空族乃是下下之策。相較之下，兇手更有可能只是一個心理不平衡的人。」

機．丹尼爾仔細聽完這番話，然後說：「我倒認為『狂熱份子理論』成立的機率比較小。死者的身份太敏感，而案發的時機又太湊巧，在在顯示這樁兇案是由一個嚴密組織所精心策劃的。」

「好吧，那就代表你掌握的資料比我多，吐出來吧！」

「你的用詞含糊不清，但我想我瞭解你的意思。我必須對你解釋一些相關的背景，就太空城的觀點而言，以利亞，我們和地球的關係並不令人滿意。」

「這可真糟。」貝萊喃喃道。

「據我所知，在太空城建立之初，我們的同胞大多一廂情願地認為，人機融於一爐的社會在外圍世界運作得那麼好，地球應該會欣然接受的。後來即使出現了暴動，我們起初還是天真地認為，這只是短暫的陣痛，你們地球人終究會克服新奇經驗所帶來的震撼。

「後續的發展，證明事實並非如此。即使地球政府以及大多數的大城政府都和我們合作，反抗運動依然持續，使得我們的進展非常緩慢。對於這樣的結果，我們的同胞自然萬分憂心。」

「我想，這憂心是出於利他主義。」貝萊說。

「並不盡然，」機．丹尼爾答道：「不過我很感謝你如此正面地解讀他們的動機。我們一直有個共同的信念，那就是一個健康的、現代化的地球對整個銀河系有極大的益處。至少，這可說是太空城成員的共同信念，但我必須承認，在外圍世界，的確有很強的反對聲浪。」

「什麼？太空族之間也有歧見？」

「當然有。有人認為現代化將催生一個危險的、帝國主義的地球。尤其是在那些距離地球較近、歷史較悠久的世界，那裡的太空族始終難以忘記，在星際旅行出現後最初幾個世紀，無論在政治上或經濟上，他們的世界都受到地球的控制。」

貝萊嘆了一口氣。「都是陳年舊事了，他們真的還擔心嗎？他們還會為了一千年前的事情，繼續記恨我們嗎？」

「人類啊，」機．丹尼爾說：「構造特殊，自成一格。在許多方面，他們都比不上我們機器人那麼理性，因為他們的線路並非預先設計好的。不過也有人告訴我，這其實也算是優點。」

「或許吧。」貝萊冷冷地說。

「這點你比我容易明白。」機．丹尼爾說：「總之，我們在地球上接二連三的失敗，促使外圍世界上那些民族主義政黨勢力高漲。他們聲稱地球人顯然和太空族不同，太空族的傳統根本無法套用。他們還說，如果我們以高壓手段強迫地球接受機器人，最後將會導致整個銀河系的毀滅。你要知道，他們念念不忘的一件事，就是地球共有八十億人口，而五十個外圍世界的人口加起來，也頂多只有五十五億而已。我們這些待在此地的同胞，尤其是薩頓博士……」

「他是博士？」

「他是社會學博士，專長是機器人學，而且他非常傑出。」

「我知道了，請繼續。」

「如我所說，薩頓博士等人早已明白，如果我們在地球上繼續這麼一事無成，以致外圍世界的不滿情緒不斷升高，那麼不久之後，太空城和它所代表的一切將不復存在。薩頓博士覺得，事到如今，當務之急是盡最大努力去瞭解地球人的心理。如果只知道批評地球人通通生性保守，或僅僅將『頑固不化的地球』、『地球人心難測』這些老生常談掛在嘴邊，那只是逃避問題而已。「薩頓博士說，那些都是無知的論調罷了，我們不能光用幾句成語或陳腔濫調，便想輕易打發地球的問題。他說，凡是有志於重塑地球的太空族，都必須走出遺世獨立的太空城，和地球人打成一片；必須像他們那樣生活，像他們那樣思考，像他們那樣做個地球人。」

貝萊說：「太空族？絕無可能。」

「你說得相當正確。」機．丹尼爾道，「薩頓博士雖然抱持這種觀點，自己卻無法進入任何一座大城，而他也心知肚明。巨大的城市和擁擠的群眾，都是他難以忍受的。即使他在手銃的威脅下，勉強走進去，由於外在環境會壓得他喘不過氣來，他絕對無法洞察各種問題的癥結。」

「還有他們總是擔心疾病，這又要如何解決呢？」貝萊追問，「千萬別忘了這點。光是這個原因，我就不相信有任何太空族會冒險進入大城。」

「這也是個難題。地球人所謂的疾病，是外圍世界無從知曉的一種東西，而無知總會引發病態的恐懼。薩頓博士對這點一清二楚，可是即便如此，他仍堅持一定要藉著親密的接觸，設法逐漸瞭解地球人以及他們的生活方式。」

「他似乎把自己逼進了死胡同。」

「並不盡然。只有人類太空族無法走進大城，機器太空族則另當別論。」

貝萊心想：該死，我總是忘記這點。然後，他故意大聲說：「哦？」

「是的。」機・丹尼爾說：「至少就這個問題而言，我們自然具有更大的彈性。我們可以被設計得適應地球的生活；只要把我們的外觀造得和人類極為相似，地球人便能接納我們，讓我們得以近距離觀察他們的生活。」

「而你自己……」貝萊頓時恍然大悟。

「正是這樣的機器人。薩頓博士花了一年的時間，設計並製造出我們這種機器人。我是第一個產品，也是目前唯一的一個。可惜的是，我還來不及接受完整的教育，就因為這樁謀殺案，不得不匆匆提前上陣。」

「所以說，並非所有的太空族機器人都像你一樣？我的意思是，有些更像機器人而比較不像人類，對嗎？」

「喔，這個自然。機器人的外表根據功能而定，我的功能需要酷似人類的外形來配合，因此我足以亂真。其他的機器人則沒有那麼像，不過仍然算是人形機器人，人模人樣的程度絕對超過今天鞋店裡那些超原始的機型。你們的機器人都是那個樣子嗎？」

「差不多，」貝萊說：「你不以為然嗎？」

「當然不以為然。一個那麼不像人的粗劣仿製品，很難被人類視為另一種智慧生物，你們的工廠造不出更好的產品嗎？」

「我確信他們造得出來，丹尼爾。我認為我們之所以這樣做，只是為了一眼就能看出和自己打交道的是不是機器人。」他說這句話的時候，刻意直視對方的眼睛——那雙眼睛明亮而濕潤，簡直就是維妙維肖，不過貝萊覺得，這機器人的目光太穩定了，不像真人那樣會微微游移。

機．丹尼爾說：「我希望自己能慢慢瞭解這樣的觀點。」

一時之間，貝萊懷疑對方語帶諷刺，但隨即否定了這個可能性。

「總而言之，」機．丹尼爾說：「薩頓博士清楚地看出，這是碳／鐵文明所面對的一個課題。」

「嘆帖？那是什麼？」

「就是碳和鐵這兩種化學元素，以利亞。人類以碳為生命的基礎，而機器人則是鐵。如果有一種文明，是在平等且並行的基礎上，結合人類和機器人的精華，就很適合用『碳／鐵』這個簡稱。」

「怎麼寫？中間加一條直線嗎？」

「不，以利亞，中間加一條斜線比較合適，這象徵了既非碳亦非鐵，而是兩者不分先後的混合體。」

貝萊驚覺自己竟然聽得津津有味，不禁感到很矛盾。關於外圍世界的歷史，地球上的正規教育皆以所謂的『大叛亂』為分水嶺，對於外圍世界獨立之後的歷史和社會結構，地球的課本幾乎一律隻字不提。沒錯，在那些通俗小說中，不乏外圍世界的種種人物，例如造訪地球的大君

（一律性情暴躁、行為乖張）、美麗的女繼承人（總是被地球男子的魅力征服，墜入情網無法自拔），以及狂妄的太空族反派（行事邪惡無比，最後一定被打敗），不過，這些故事其實毫無存在價值，因為它們違背了一項最基本、最廣為人知的事實：太空族從不進入大城，太空族女性則是根本不曾造訪地球。

有生以來，貝萊首度冒出一種古怪的好奇心：太空族的真實生活到底是什麼樣子？

他花了一點力氣，才將思緒拉回原來的方向。「我想我明白了你要推出什麼結論。你們的薩頓博士從一個嶄新的、大有可為的角度出發，探討如何解決讓地球接受碳／鐵文明這個問題。而我們的保守份子，也就是自稱懷古人士那批人，對此則深感不安，他們生怕博士會成功，所以便先下殺手。由於有這個動機存在，使得這宗謀殺案很可能是有組織的圖謀，而並非孤立的暴力事件。對嗎？」

「沒錯，我差不多就是這個意思，以利亞。」

貝萊意味深長地悄悄吹了一聲口哨，同時用長長的手指輕敲桌面，然後搖了搖頭。「站不住腳，完全站不住腳。」

「抱歉，我不瞭解你的意思。」

「我試著想像事發的經過：一個地球人走進太空城，走向薩頓博士，用手銃轟了他，然後走了出來。但我就是想不通，太空城的入口當然有警衛把守。」

機．丹尼爾點了點頭。「我想比較保險的說法是：沒有任何地球人能夠非法通過那個入口。」

「那你還能推出哪門子結論呢？」

「如果那個入口是紐約大城進入太空城的唯一通道，以利亞，那麼我們的確無法推出什麼合理的結論。」

貝萊若有所思地望著他的搭檔。「你把我弄糊塗了，那個入口正是兩地之間唯一的聯繫。」

「應該說是唯一的直接聯繫。」機．丹尼爾等了一下，然後說：「你還是沒聽懂我的意思，是不是？」

「是的，我完全聽不懂你在說什麼。」

「好吧，你若不介意的話，讓我試著仔細解釋一下。可否借我一張紙和一枝電筆？謝謝。看好了，以利亞夥伴，我先畫一個大圓，註明是『紐約大城』，接著，我再畫一個和它相切的小圓，註明是『太空城』，最後，我在兩者的交會處畫一個箭頭，註明是『關卡』。現在你看看，沒有其他的聯繫嗎？」

貝萊說：「當然沒有，沒有任何其他聯繫。」

「就某方面而言，」機器人說：「我很高興聽到你這麼講。你的這種反應，完全符合我腦中的地球人思考模式。注意，那關卡只是兩地之間唯一的直接聯繫，因為無論紐約或太空城，四面八方都和鄉間相鄰，一個地球人大可從某個出口離開大城，經過鄉間走到太空城，而不會被任何關卡阻擋。」

貝萊用舌尖抵著上唇好一陣子，然後才開口：「經過鄉間？」

「是的。」

「經過鄉間！一個人？」

「有何不可？」

「步行？」

「毫無疑問是採取步行，這樣被偵測到的機會最小。謀殺是當天早上發生的，兇手無疑在黎明前幾小時就上路了。」

「不可能！大城裡沒有任何人會這麼做。一個人離開大城？」

「沒錯，在通常的情況下，這似乎是不可能的。這點我們太空族也知道，而這正是我們只警戒那個入口的原因。即使在當年那場大暴動中，你們的人也僅僅攻擊那個保護入口的關卡，沒有任何人離開過大城。」

「嗯，所以呢？」

「我們現在碰到的卻是一個非常狀況。這回，並非一群暴民循著阻力最小的路線發動盲目攻擊，而是一個小團體，在精心策劃下，攻向一處毫無防範的地點。而這就解釋了，如你所說，為何有個地球人能夠進入太空城，走向行兇目標並將他殺害，然後從容離去。那兇手充分利用了我方的保安盲點。」

貝萊搖了搖頭。「太不可能了。你們可曾針對這個理論做過任何調查？」

「我們做過，比方說，你們的警察局長幾乎撞見了這樁謀殺案……」

「我知道，他告訴過我。」

「這一點，以利亞，再次說明行兇時間掌握得分秒不差。你們的局長和薩頓博士有過合作關係，而現在，薩頓博士打算派出像我這樣的機器人滲透到你們的社會，在這項計畫中，他這個地球人正是博士心目中的內應。他們約好當天早上碰面，就是要討論這件事。當然，那項計畫因謀殺案而停擺了，至少暫時如此。此外，由於案發當時，你們的警察局長剛好在太空城，所以對地球當局而言，整件事變得更尷尬、更棘手，而我方的處境也好不到哪裡去。

「言歸正傳，其實我要講的是，當時我們就對你們局長說：『兇手一定是從鄉間進入太空城的』，而他的反應和你一樣，直呼『不可能』或『不可思議』。當然，那時他相當心慌意亂，或許正是這個緣故，他難以看出這個關鍵。即便如此，我們還是硬要他立刻調查這種可能性。」

貝萊想起局長那天跌破了眼鏡，但即使腦海中的畫面那麼嚴肅，他的嘴角還是抽動了一下。可憐的朱里斯！沒錯，他當時的確心慌意亂。可是，他當然無法對那些高傲的太空族解釋自己的困境，因為地球人不像他們那樣經過基因篩選，生理缺陷在所難免，他們卻總是因此百般鄙視地球人。堂堂的朱里斯·恩德比局長可丟不起這個顏面，因此絕對不能解釋。嗯，在某些方面，地球人必須一致對外，所以這機器人休想從我貝萊口中獲悉局長視力不佳。

機·丹尼爾繼續說：「於是，大城的出口徹頭徹尾被清查了一遍，一個也沒遺漏。你知道總共有多少出口嗎，以利亞？」

貝萊搖了搖頭，然後放膽一猜：「二十個？」

「五百零二個。」

「什麼？」

「起初還更多，這五百零二個都是目前還能運作的。你們的大城一直在慢慢成長，以利亞，早年它曾暴露在陽光下，人們可以自由來往大城和鄉間。」

「當然，我知道。」

「好，在大城剛被圍起來的時候，曾留下了許多出口。而到了現在，還剩下五百零二個，其他的或是被新建築掩蓋，或是直接堵死了。當然，空運的出入口都還沒有計算在內。」

「嗯，那些出口能否提供什麼線索？」

「完全沒希望。它們全部無人看守，我們找不到負責的官員，也沒有任何官員認為那些出口歸他管轄，彷彿根本無人知曉它們的存在。人人可以隨興在任何時間從任何一個出口走出去，然後隨時可以回來，永遠不可能被偵測到。」

「還有其他線索嗎？我想兇器也不見了吧。」

「喔，對。」

「這方面有任何進展嗎？」

「沒有。我們對太空城的周圍做過地毯式調查，那些照顧蔬菜農場的機器人不太可能成為目擊者，它們和農場的自動機器相差無幾，幾乎不具人形。但除此之外，就沒有其他的機器人，更別提人類了。」

「哎呀，接下來呢？」

「目前為止，太空城這端一無所獲，所以我們即將把箭頭轉向紐約大城。我們有責任追查所有可能的恐怖組織，一一過濾所有的異議團體……」

「你們打算花多少時間？」貝萊插嘴問道。

「若有可能，越少越好；若有必要，多多益善。」

「真是一灘渾水，」貝萊語重心長地說：「我多麼希望你還另有搭檔。」

「沒有了，」機．丹尼爾說：「局長對你的忠誠和能力都讚譽有加。」

「他可真看得起我。」貝萊自我解嘲，然後想到：可憐的朱里斯，覺得有愧於我，所以拚命試圖補償。

「我們並非完全仰賴他的推薦。」機．丹尼爾說：「我們還調查過你的紀錄。你在警局裡，曾經公開發言反對使用機器人。」

「哦？你又不以為然嗎？」

「一點也不會。你的意見顯然只是個人意見而已，但這件事使得我們必須非常仔細地研究你的心理檔案。我們發現雖然你極其討厭機字頭的，然而，如果你認為那是職責所在，你還是會願意和機器人共事。你具有非比尋常的忠誠度，以及對正統權威的高度尊重，這正是我們所需要的，恩德比局長對你的評價十分中肯。」

「關於我的反機器人情緒，你個人沒有反感嗎？」

機．丹尼爾說：「如果不會妨礙你我的合作，不會妨礙你協助我完成調查，那又有什麼關係呢？」

貝萊覺得無言以對，只好以挑釁的口吻說：「好吧，如果說我通過了測試，那麼你呢？你又怎麼有資格擔任警探？」

「我不瞭解你的意思。」

「你的原始設計將你定位為一具人形的情報蒐集機，專門替太空族記錄人類的生活方式。」

「情報蒐集？那正是調查員的基本素養，不是嗎？」

「基本素養，或許。但整體而言，還差得遠呢。」

「沒錯，所以我的線路還經過最後的調整。」

「我很想聽聽其中的細節，丹尼爾。」

「簡單得很，在我的『動機庫』裡加入一項特別強烈的驅力：對正義的渴望。」

「正義！」貝萊大叫一聲。他掛在臉上的嘲諷隨即消失，取而代之的是一副打死也不相信的神情。

不料這時，坐在椅子上的機．丹尼爾迅速轉身，瞪著大門說：「外面有人。」

的確沒錯。大門隨即打開，潔西走了進來，只見她雙唇緊抿，臉色蒼白。

貝萊嚇了一跳。「啊，潔西！出了什麼事？」

她站在那裡，刻意避開他的目光。「很抱歉，我不得不……」她的聲音越來越小。

「班特萊呢？」

「他今晚住青年館。」

貝萊說：「為什麼？我沒叫你那樣安排。」

「你說你的搭檔今晚會住這裡，我覺得他應該睡班特萊的房間。」

機．丹尼爾說：「沒有這個必要，潔西。」

潔西揚起目光望向機．丹尼爾的臉龐，而且看得十分專注。

貝萊則低頭望著自己的指尖，對於即將發生的事充滿無力感。接下來的短暫沉默，像是一股無形的力量，緊壓著他的耳膜，然後，彷彿從很遠很遠的地方，透過一層層的膠膜，傳來了他妻子的聲音：「我認為你是機器人，丹尼爾。」

機．丹尼爾鎮定如常地答道：「是的。」

第六章　低語

在大城中某些最富裕的子區，頂層設有所謂的天然日光浴館，其中的活動金屬罩鑲有石英隔板，能夠阻絕空氣卻不妨礙日照。在這裡，政府首長的妻女們可以曬出美麗健康的膚色；在這裡，每天傍晚會出現一個奇觀。

夜幕會降臨。

反之，大城其他各個角落，就只有人工設定的晝夜週期（包括各個紫外日光浴館，也就是幾百萬民眾根據嚴格的時間表進行人工日光浴的地方）。

其實，只要採取三八制或四六制，大城的運轉即可持續不斷，無分「晝」、「夜」；無論照明或人力，皆可輕易做到無止無休。因此每隔一段時日，總會有改革派以促進經濟和效率為名，提出這樣的建議。

但是大眾始終難以接受。

同樣是在經濟和效率的大旗下，地球社會已經放棄許多早已養成的習慣，包括擁有開闊的空間、個人隱私，以及百分之百的自由意志。然而，那些都是文明的產物，出現至今絕對不到一萬年。

另一方面，日落而息這個習慣則和人類的歷史一樣長久，至少也有一百萬年，所以並非輕易能放棄的。雖然看不見真正的夜幕，但每當「黑夜」來臨的時候，公寓的照明就會變暗，大城的脈動也會減緩。同理，雖然在完全密封的大城裡，無人能夠藉由天象判斷正午或子夜，人類的作息還是遵循著時鐘的無聲指揮。

於是捷運帶空了，噪音沉寂了，巨大街巷裡的人群也消散了；紐約大城靜靜躺在地球上一個陰暗的角落，其中的居民陸續進入夢鄉。

以利亞・貝萊並未入睡。他只是躺在床上，將所有的照明熄滅，如此而已。

在一片漆黑中，潔西一動不動地躺在他旁邊。他非但感覺不到，甚至也聽不到她有任何的動作。

而在牆壁的另一邊，機・丹尼爾・奧利瓦此時正坐在（或站在？躺在？貝萊也不確定）起居室裡。

貝萊低聲呼喚：「潔西！」然後又是一聲：「潔西！」

他身旁那床隆起的被單微微動了一下。「什麼事？」

「潔西，你就別給我難上加難了。」

「你應該先告訴我。」

「我該怎麼說？我原本打算先想好一個說法，然後再告訴你。耶和華啊，潔西……」

「噓！」

貝萊趕緊壓低了聲音。「你是怎麼發現的？你不告訴我嗎？」

潔西轉過身來，他感覺得到她的眼睛正透過黑暗望著自己。

「利亞，」她的聲音幾乎細不可聞，「他能聽見我們嗎？我是說那東西？」

「我們輕聲講，他就聽不見。」

「你又怎麼知道？也許他的耳朵特別靈敏，能夠聽見很小的聲音。什麼事都難不倒太空族的機器人。」

這點貝萊也知道。凡是吹捧機器人的宣傳，總是會強調太空族機器人的神奇本領，包括堅固耐用、感官靈敏，以及能為人類提供上百種新奇的服務。但他自己認為，這種宣傳適得其反；機器人越優秀，地球人就越痛恨它們。

他又悄聲說：「丹尼爾例外。他們故意將他造得和人類一模一樣，就是要我們將他視為同類，所以他一定只有人類等級的感官。」

「你怎麼知道？」

「假如他有超級的感官，他就會做得太多，知道得太多，因而大大增加他無意間暴露身份的危險。」

「嗯，或許吧。」

又是一陣沉默。

大約一分鐘後，貝萊又不死心地再度勸道：「潔西，你能不能什麼都別過問，等到……等到……聽著，親愛的，你對我生氣實在太不公平了。」

「生氣？喔，利亞，你真傻。我不是生氣，我是害怕，簡直怕得要死。」

她用力吸了一口氣，然後抓住他的睡衣衣領。兩人緊緊擁抱了一陣子，貝萊心中的委屈逐漸消散，由關心和擔心取而代之。

「怕什麼，潔西？根本沒什麼好怕的。他對人類毫無威脅，我可以發誓。」

「難道你就無法擺脫他嗎，利亞？」

「你知道我做不到。這是局裡的公事，我怎麼擺脫？」

「什麼樣的公事，利亞？告訴我。」

「聽好，潔西，我很驚訝你會這麼問。」他在黑暗中摸索到她的臉龐，輕輕拍了拍，發現她淚流滿面。於是他抓起睡衣袖子，仔細替她擦乾眼淚。

「看看你，」他溫柔地說：「真像個小孩子。」

「不管是什麼公事，你去告訴上級，要他們改派別人。拜託，利亞。」

貝萊的聲音變得強硬了些。「潔西，你當警察的妻子也這麼多年了，早該知道命令只有服從，沒有商量。」

「那麼，為何偏偏是你？」

「因為朱里斯．恩德比……」

被摟在懷裡的她突然肌肉緊繃。「我早就該想到。你為什麼不能告訴朱里斯．恩德比，要他至少這次換個人去赴湯蹈火。你太忠心耿耿了，利亞，簡直是……」

「好啦，好啦。」他安撫道。

她平靜下來，但仍微微發顫。

貝萊心想：她永遠無法瞭解的。

打從訂婚那天起，朱里斯·恩德比就常常成為他倆口角的導火線。想當年在大城行政學院，恩德比是高貝萊兩屆的學長，私下兩人則是好朋友。然而，當貝萊通過了一系列的性向測驗和神經分析，準備進入警界工作時，恩德比不但早已當上警察，而且已經調到便衣刑警部門。

貝萊一路追隨恩德比的腳步，怎奈兩人的距離越拉越遠。嚴格說來，這並不是誰的錯，貝萊的工作能力夠強，效率也夠高，偏偏欠缺恩德比擁有的一些特質。在龐大的行政機器中，恩德比就像一個完美的重要零件；他是那種天生適合吃公家飯的人，在官僚體系中簡直就是如魚得水。

恩德比局長的腦筋並非一流，這點貝萊心知肚明。他有些幼稚的怪癖，例如每當心血來潮，便會擁抱一下華而不實的懷古主義。然而，他和同僚相處融洽，從不得罪任何人；他總是從容優雅地接受命令，下達命令的態度則是堅定與溫和兼顧。他甚至和太空族也處得不錯，雖然或許過分諂媚些（如果換成貝萊和太空族打交道，不到半天就會劍拔弩張，這點他自己十分肯定，雖然他從未真正面對過太空族），但他賺到了太空族的信任，使他成為紐約大城不可或缺的人才。

凡是在公家機關討生活，個人能力永遠比不上交際手腕來得重要，因此恩德比一路平步青雲，當貝萊只是個C5級的時候，他已經爬到局長的位置。對於這種差異，貝萊並不怨恨，但他畢竟是凡人，仍免不了感到遺憾。恩德比則從未忘記他們當年的友誼，為了彌補這份遺憾，他常常用自以為是的方式盡可能照顧貝萊。

這回他指派貝萊擔任機．丹尼爾的搭檔，就是個現成的例子。這個任務既棘手又無趣，可是毫無疑問，其中隱藏著連升兩三級的大好機會，身為局長的他大可將這種好事讓給別人。而當天早上，他故意強調需要貝萊伸出援手，只是一種欲蓋彌彰的說詞罷了。

潔西卻從不這麼想。在此之前，一個類似的情況下，她曾經這麼說：「你那愚蠢的忠誠指數真是害人不淺，我實在聽厭了人人讚美你充滿責任感，你就偶爾為自己著想一回吧。我早就注意到，那些高官一向不拿自己的忠誠指數當話題。」

此時，貝萊毫無睡意地僵躺在床上，靜待潔西冷靜下來。他必須好好思考，將自己的懷疑一一落實。於是在他心中，許多小事彼此逐漸拼湊起來，慢慢形成了一個規律的圖樣。

潔西忽然動了動，令他覺得床墊微微下陷。

「利亞？」她湊在他耳畔喚道。

「什麼事？」

「你何不乾脆辭職算了？」

「別說蠢話。」

「有何不可？」她突然有些激動，「這麼一來，你就可以擺脫那個可怕的機器人。你只消走進恩德比的辦公室，撂下一句話就行了。」

貝萊冷冷地說：「我手上有這麼重要的案子，絕不能半途辭職，否則豈不像把整件事當成垃圾，隨時隨地可以丟棄。我要是玩這種把戲，一定會被正式解雇。」

「即使解雇，你還是可以東山再起。你做得到的，利亞，你一口氣就能找到十幾份勝任的公職。」

「遭到正式解雇的人，公家機關不會再錄用了。到時候，我唯一能做的就是出賣勞力，而你也一樣，這就代表班特萊會失去所有的家傳地位。天哪，潔西，你根本不瞭解那是什麼日子。」

「我在書上讀過，沒什麼好怕的。」她喃喃道。

「你瘋了，你真的瘋了。」貝萊覺得自己渾身打顫，與此同時，他腦海中閃現一個熟悉的身影——在窮困潦倒中逐步邁向死亡的父親。

潔西重重嘆了一口氣。

貝萊狠下心不再理睬她，強迫自己將思緒拉回到剛才那個拼圖上。

他堅定地說：「潔西，你一定要告訴我，你如何發現丹尼爾是機器人的？你到底是怎麼確定的？」

「這……」她說了一個字便難以為繼，這已經是她今夜第三次欲言又止了。

他緊緊抓著她的手，鼓勵她繼續說下去。「拜託，潔西，你究竟在怕什麼？」

她說：「我就是猜到他是機器人，利亞。」

他反駁道：「沒有任何線索引導你這麼猜測，潔西。你在出門前，並未想到他是機器人，對不對？」

「沒——錯，但我腦子裡一直……」

「得了吧，潔西，真相究竟如何？」

「嗯……好吧，利亞，女生們會在衛生間聊天，你也知道那是怎麼回事，就是天南地北閒聊。」

女人啊！貝萊暗自感嘆。

「總之，」潔西說：「傳聞已經滿城飛，這是免不了的。」

「滿城飛？」貝萊心頭猛然冒出一絲（近似）勝利的快感。又有一塊拼圖到位了！

「她們的口氣就是那樣，她們說，據傳有個太空族的機器人進了大城，聽說他看起來和人類一模一樣，而且他準備和警方合作。她們甚至還笑著問我：『你家利亞知道這件事嗎，潔西？』我也笑著回答：『你們別傻了。』

「當我們到了影音層，我就不由自主想到了你的新搭檔。你還記不記得，為了讓我看看太空族長什麼樣，你曾將朱里斯．恩德比在太空城拍的照片帶回家？嗯，我不由得想到你的新搭檔就是那個模樣。這是我冷不防想到的，於是我對自己說：喔，天哪，他一定是在鞋店給人認了出來，而當時利亞和他在一起。然後我趕緊說我頭痛，然後我就跑……」

貝萊說：「好了，潔西，別講了，別講了。你給我冷靜下來，告訴我到底你在怕什麼？你並不是怕丹尼爾這個人，剛剛你進家門，還能面對著他，一點也不畏縮。所以……」

躺在床上的他突然住口，坐了起來，在黑暗中徒勞地睜大眼睛。

當他感覺到妻子擠了過來，趕緊伸手用力摀住她的嘴巴。她拚命掙扎，雙手抓住他的手腕用力扭扯，他卻反倒加重了力道。

等到他突然間鬆了手，她開始啜泣。

他以沙啞的聲音說：「抱歉，潔西，我剛才聽見一點動靜。」

他下了床，在襪子外面套上保溫膠膜。

「利亞，你要去哪兒？別走開。」

「不要緊，我只是要走到門邊。」

當他繞過床鋪的時候，保溫膠膜發出了輕微的沙沙聲。

他將通往起居室的門打開一條縫，然後等待了好長一段時間。沒有任何異狀，四周安靜到了極點，他甚至聽得見潔西的輕微呼吸聲，以及自己耳朵裡的脈搏節奏。

貝萊從門縫裡伸出一隻手，在黑暗中摸索著一個熟悉的位置，不久就抓到了控制天花板照明的旋鈕。他施以小到不能再小的力量，天花板便開始微微發亮，但由於光線實在太微弱，起居室下半部仍處於半昏暗狀態。

然而，他已足以一覽無遺。公寓大門緊閉，起居室則空無一人。

他將照明關閉，回到了床上。

這正是他期待的結果，證據一一到位，拼圖也完全拼好了。潔西心虛地問道：「利亞，有什麼問題嗎？」

「沒什麼問題，潔西，一切都好得很。他不在這兒了。」

「那個機器人？你是說他走了？再也不回來了？」

「不，不，他會回來的。但趁他不在這兒，我要你回答我的問題。」

「什麼問題？」

「你到底在怕什麼？」

潔西並未開口。

貝萊的態度變得比較強硬。「你自己說的，你怕得要死。」

「我怕他呀。」

「不對，這點我們已經討論過了。你根本不怕他，況且，你相當清楚機器人不能傷害人類。」

她一字一字慢慢說：「我擔心，如果大家都知道他是機器人，就會引起一場暴動，而我們都會被殺害。」

「為什麼會被殺害？」

「你也清楚暴動是什麼樣子。」

「他們甚至不知道機器人在哪裡，對不對？」

「他們可能會找到。」

「而這就是你害怕的事，一場暴動？」

「這……」

「噓！」他一把將潔西按到枕頭上。

然後他湊到她耳邊說：「他回來了。現在你注意聽，但一個字也別說。一切都不用擔心，明天早上他就會走，而且再也不會回來。不會發生暴動，也不會出任何事。」

在說這番話的時候，他感到相當滿意，幾乎可說完全滿意。他覺得自己可以入睡了。

他又默想了一遍：不會發生暴動，也不會出任何事，更不會遭到解雇。

而就在真正睡著的前一刻，他心中又冒出一個聲音：甚至不必再調查什麼謀殺案，因為整件事已經解決了……

他終於進入夢鄉。

第七章　太空城

警察局長朱里斯‧恩德比將他的眼鏡仔仔細細擦了一遍，然後戴回鼻樑上。

貝萊心想：這一招真是高明，在思考該說些什麼的時候，你還有事可做，而且不像點菸斗那樣得花錢。

正因為想到這一點，他忍不住掏出自己的菸斗，將所剩無幾的低劣菸絲塞了些進去。菸葉是地球上碩果僅存的奢侈作物之一，但不久的將來恐怕也要消失了。從貝萊出生那年算起，菸葉的價格就一直上漲，從未下跌；配額則是越來越少，從來沒有增加過。

調整好眼鏡後，恩德比將手伸向位於桌沿的開關，輕輕一按，辦公室的門便暫時變成單向透明。「對了，現在他在哪裡？」

「他告訴我說想在局裡到處看看，於是我請傑克‧托賓擔任嚮導。」貝萊點燃菸斗，並謹慎地鎖緊隔板，因為局長和大多數非癮君子一樣，對菸味相當反感。

「我希望你沒告訴他丹尼爾是機器人。」

「我當然沒說。」

局長漫不經心地隻手撥弄著桌上的自動月曆，顯然還放不下這檔事。

「情況如何？」他的眼睛並未望向貝萊。

「中等棘手。」

「真抱歉，利亞。」

貝萊以堅決的口吻說：「你應該先警告我，他看來和人類一模一樣。」

局長顯得相當驚訝。「我沒說嗎？」然後，他突然火冒三丈，「媽的，你自己早該料到。如果他長得像機．山米，我絕不會要求你把他帶回家去，你說對不對？」

「我明白，局長，可是你見過像他那樣的機器人，我卻從未見過，我甚至不知道這種東西真正存在。我只是希望你能先提一下，如此而已。」

「好吧，利亞，我向你道歉。你說得對，我應該先告訴你的。只不過我這份工作，這些煩心的事，搞得我心神不寧，所以我有一半的時間都在無緣無故亂發脾氣。他，我是說那個叫丹尼爾的東西，是個新型的機器人，目前仍處於實驗階段。」

「他自己已經對我說明了。」

「喔，是嗎，那就好。」

貝萊覺得有點緊張，因為時機終於到了。他咬著菸斗，故意若無其事地說：「機．丹尼爾替我安排了一趟太空城之旅。」

「太空城！」恩德比立刻滿臉怒容地抬起頭來。

「是的，這是理所當然的下一步，局長。我想看看犯罪現場，當場提幾個問題。」

恩德比斷然搖了搖頭。「我認為這並非好主意，利亞。我們已經做過詳盡的現場蒐證，我不相信你還能發現什麼新東西，更何況他們是一群怪人。小心謹慎！對付他們需要格外小心謹慎，而你欠缺這種經驗。」

他將豐腴的手掌按在額頭上，以突如其來的激動口吻說：「我恨他們。」貝萊也刻意在聲音中透出敵意。「媽的，那機器人根本不該來，我也根本不該去。和機器人平起平坐已經夠糟了，矮一截更令我受不了。當然，如果局長認為我不足以勝任這項調查工作，那麼……」

「不是這樣的，利亞，問題不在你，而在那些太空族，你不知道他們有多古怪。」

貝萊的眉頭鎖得更緊了。「既然這樣，局長，請你跟我一起去吧。」這時，他放在膝蓋上的右手，食中兩指下意識地交叉起來。

局長瞪大了眼睛。「不，利亞，我不能去，你別為難我。」他顯然好像及時煞住車，並沒有一吐為快。然後，他帶著虛假的笑容，改用平靜許多的口吻說：「你也知道，我有很多公事需要處理，已經積壓好幾天了。」

貝萊若有所思地望著他。「那麼我告訴你一個辦法，你不妨稍後利用三維化身出現在那裡。只要一下就好，明白吧，以便適時對我伸出援手。」

「嗯，可以，我想這點我做得到。」他的口氣不怎麼熱切。

「太好了。」貝萊看看牆上的鐘，點了點頭，然後站起來，「我會和你保持聯絡。」

在離開這間辦公室之際，貝萊回頭望了一眼，還故意將關門的動作放慢幾分之一秒。他瞧見局長正準備趴到桌上，將頭埋進臂彎裡，而且身為便衣刑警的他，幾乎可以發誓聽到了一聲啜泣。

耶和華啊！他感到震驚不已。

當他越過大辦公室時，走到一半突然停下腳步，就近在一張辦公桌旁坐了下來。那張桌子的主人抬起頭，隨口打了個招呼，便繼續忙自己的事，貝萊卻完全沒有理會他。

他從菸斗內取出隔板，用力一吹，再將菸斗反轉，放在桌面的一個小型吸灰器上，下一刻，菸絲化成的白色灰燼便被一吸而盡。然後，他頗為懊悔地看了看空菸斗，重新裝上隔板，最後將它放回口袋。又有一斗菸和自己永別了！

他開始重新考量剛才發生的一切，就某方面而言，恩德比的反應並不令他訝異。他早就料到自己安排這趟太空城之旅並不會很順利；他也早就聽過局長一再強調和太空族打交道有多麼困難——即使是雞毛蒜皮的小事，也得由經驗豐富的談判專家出馬，否則勢必凶險萬分。

然而，他並未預期局長那麼容易就讓步了。在他的想像中，最起碼恩德比也會堅持要和自己同行。面對這麼重大的刑案，其他公事的那點壓力根本不算什麼。

而貝萊並不希望出現那種結果，他所希望的正是目前這樣的安排。他就是要局長以三維化身的方式出現，以便能在一個安全無虞的地點，目睹一件事的全程經過。

安全兩字正是關鍵。貝萊需要一個不會即時蒸發的目擊證人，當作他自身安全的最低限度保障。

沒想到局長二話不說，便一口答應下來。貝萊隨即聯想起臨走前聽見的啜泣聲（雖然細微難辨），心中不禁感嘆：耶和華啊，學長承受的壓力快要令他崩潰了。

這時，貝萊身旁冒出一個愉悅卻含糊的聲音，嚇了他一大跳。

「你又在搞什麼鬼？」他兇巴巴地問。

機．山米臉上維持著那個愚蠢的笑容。「傑克要我告訴你，利亞，丹尼爾在等你了。」

「好，你可以滾了。」

他望著那個機器人的背影，忍不住直皺眉頭。一個那麼笨拙的金屬裝置，竟然把自己的名字隨時掛在嘴上，斯可忍孰不可忍。當初機．山米剛進警局的時候，他就曾經抱怨過這件事，但局長聳了聳肩，解釋道：「凡事不能兩頭兼顧，利亞。民眾要求公務機器人必須內建強大的友善線路，好吧，結果就是這樣。他對你有好感，所以他毫無顧忌地直呼你的名字。」

友善線路！事實上，無論任何類型的機器人，一律不可能傷害人類，這正是所謂的「機器人學第一法則」：

「機器人不得傷害人類，或因不作為而使人類受到傷害。」

在每一個正子腦的製作過程中，這條命令都被深深印在基礎線路上，沒有任何情緒能夠干擾或取代它，所以毫無必要加裝特定的友善線路。

但是局長的說法也沒錯，地球人對機器人的疑慮已經到了非理性的程度，因此友善線路必須存在，正如同每個機器人都必須配上一張笑臉。至少在地球上，無論如何有其必要。

不過，機·丹尼爾卻從來不曾微笑。

貝萊一面嘆氣一面起身，心想：太空城是下一站——也或許就是終點站！

如今，大城警方和某些高級官員仍有一項特權，那就是乘坐警車駛過大城內各條通道，甚至可以使用一向禁止行人進入的古代地下公路——多年來，自由派人士一再要求將這些公路改建成兒童遊樂場或購物區，不然改為捷運帶或緩運帶也好。

然而，諸如「安全至上！」這樣的強烈呼籲始終勢不可擋。萬一發生社區消防設施無法自行撲滅的大型火災，萬一發生電力或通風系統的大規模故障，更重要的是，萬一發生嚴重的暴動，那麼大城的警消人員必須有辦法盡快抵達現場。因此，無論現在或將來，這些公路都具有無可取代的重要性。

在此之前，貝萊曾經數度穿越這些公路，但空空蕩蕩的淒涼感總是令他心情沮喪。感覺上，溫暖且充滿生命脈動的大城彷彿遠在百萬英里外。坐在警車的駕駛座上，眼前的公路就像一條中空的巨蟒，不斷向前延伸；每當經過一段彎道，它又會沿著新的方向繼續展延。而在身後，他不看也知道，則是另一條不斷收縮封閉的中空巨蟒。這些公路雖然一律燈火通明，但在一片沉寂和空虛之中，光亮顯得毫無意義。

機·丹尼爾並未試圖打破沉寂，也並未試圖填補這份空虛。他只是直直地望著前方，就像當初面對人潮洶湧的捷運帶一樣，他對空蕩蕩的公路同樣無動於衷。

說時遲那時快，這輛警車突然鳴起警笛，同時猛然竄出公路，轉入屬於大城通道系統的「車道」。

為了表示對舊日的崇敬，每條車道仍一板一眼地在重要通道口設置路標。不過，這些車道上的車輛早已消失無蹤，只剩下警車、消防車和維修車輛偶爾使用，因而總有行人毫無顧忌地走在上面。這時，由於貝萊的車子聲勢驚人，眾人狼狽地連忙四散走避。

聽見噪音自四面八方湧來，貝萊大大鬆了一口氣，可惜好景不長，他們又走了不到二百碼，噪音便逐漸消失，因為警車已轉進通往太空城入口的另一條車道。

太空城的警衛顯然一眼就認出了機．丹尼爾，紛紛向他點頭致意。雖然他們都是人類，卻絲毫不覺得有什麼不自然。

其中一名警衛向貝萊走過來，行了一個完美但稍嫌僵硬的軍禮。他身型高大，神情嚴肅，不過就體格而言，他並非機．丹尼爾所代表的那種十全十美的太空族。

他說：「閣下，請出示您的身份證件。」

接過證件後，警衛迅速但詳盡地檢視了一遍。貝萊注意到他戴著一副肉色手套，而且兩個鼻孔各塞了一個幾乎看不見的濾器。

警衛又敬了一個禮，然後歸還了證件。「這裡有一間小型的男用衛生間，如果您想淋浴，我們無任歡迎。」他說。

貝萊打算說並沒有這個必要，但就在警衛後退之際，他發覺機．丹尼爾趁機拉了拉自己的袖子。

機．丹尼爾說：「根據慣例，以利亞夥伴，大城居民進入太空城之前都要淋浴。我知道你絕不希望由於消息不靈通，而令你自己或你我為難，所以我才直言不諱。我還要進一步建議，如果你有任何衛生上的需要，最好順便處理一下。在太空城裡面，並沒有任何相關設施。」

「沒有相關設施！」貝萊大聲喊道，「但這是不可能的。」

「當然啦，我的意思是，」機．丹尼爾說：「沒有供大城居民使用的相關設施。」

貝萊臉上露出明顯的驚訝與敵意。

機．丹尼爾說：「很抱歉，慣例如此，我只能表示遺憾。」

貝萊一語不發地走進衛生間，隨即覺得（而非看到）機．丹尼爾跟著自己走了進來。

他心想：監視我嗎？要確保我把大城的灰塵通通洗掉？

在狂怒之中，他猛然想起自己給太空城所準備的「驚喜」，心頭不禁一陣快感。雖然這樣做等於拿著一把手銃抵住自己胸口，他卻突然不在乎了。

衛生間相當小，但設備齊全，而且非常乾淨，就像剛剛消毒完畢。空氣中有點刺鼻的氣味，貝萊刻意聞了聞，一時之間並沒有答案。

不久他便想到：臭氧！原來他們是利用紫外輻射來消毒。

一個小型指示燈明滅了幾次，然後便一直亮著，上面有一排字：「訪客請脫去所有的衣物和鞋襪，置於下方容器內。」

貝萊勉強照做。他先解下手銃，等脫光衣服後，再將手銃皮帶纏在腰際。可想而知，感覺上又重又不舒服。

那個容器隨即關上，吞沒了他的衣物。原先的指示燈熄滅了，前方又亮起一個新的指示燈。燈上寫著：「訪客請料理衛生需求，然後根據箭頭指示使用淋浴。」

貝萊覺得自己好像裝配線上的一台工具機，正在被遠方的力場刀慢慢切割成形。

進入小小的淋浴間之後，他的第一個動作就是將手銃皮套的防濕蓋拉出來，上下左右緊緊扣住。基於長時間的練習，他仍有把握五秒鐘內抽出手銃。

由於裡面沒有可掛東西的把手或掛鉤，甚至看不到蓮蓬頭，他只好將手銃放在淋浴間入口附近。

此時，另一個指示燈亮了，上面寫著：「訪客請將雙臂向前伸直，站在淋浴間中央，雙腳踩在指定位置。」

等到他踏進中央凹陷處，指示燈隨即熄滅。與此同時，一股又一股強勁的泡沫，分別從天花板、地板以及四周牆壁噴到他身上，他甚至覺得腳底下都有水柱向上噴。足足有一分鐘的時間，在熱力和壓力雙重衝擊下，他的皮膚逐漸變紅，而在溫熱的霧氣中，他的肺臟必須使盡全力吸取空氣。接下來的一分鐘，低壓的冷水取代了原先高溫高壓的泡沫，而最後一分鐘，則有溫暖的空氣將他吹得乾爽舒適。

他拾起了手銑皮帶，發覺整條皮帶同樣乾燥而溫暖。他將皮帶繫好，踏出淋浴間，正巧看見機・丹尼爾從隔壁間走了出來。理當如此！機・丹尼爾雖然不是大城居民，身上仍然累積了大城的灰塵。

貝萊幾乎自然而然移開了目光，然後才想起大城的習俗並不適用於機・丹尼爾，於是他又強迫自己將視線轉回來一下子。他的嘴角隨即扯出一絲笑容，原來機・丹尼爾和人類的相似之處並不止於臉孔和雙手，而是渾身上下全部達到足以亂真的程度。

貝萊循著一路走來的方向繼續前進，果然發現自己的衣物等在前面。它們不但疊得很整齊，而且散發出一股溫暖潔淨的氣味。

又一個指示燈亮起：「訪客請重新著裝，再將一隻手放在指定的凹槽。」

貝萊依言照做。當他將右手放在一塵不染的乳白色凹槽之後，立刻感到中指指尖傳來一下明顯的刺痛。他連忙舉起手，發現一小滴血正滲出來，好在不多久便止住了。

他將那滴血甩掉，用力捏了捏手指，但是並未再擠出任何血絲。

顯然，他們是在分析他的血液，這著實令他感到忐忑不安。他可以肯定，局裡那些醫生替自己所做的年度健康檢查並沒有那麼詳盡，或者應該說，他們不具備這些外太空怪胎那麼淵博的知識。可是，貝萊並不確定他想不想深究自己的健康狀況。

他覺得彷彿等了很長的時間，指示燈才重新亮起，好在上面只是寫著：「訪客請前進。」

貝萊大大鬆了一口氣，繼續往前走。當他正準備通過一道拱門，兩條金屬棒突然橫擋在他面前，半空中還冒出幾個字：「訪客注意，不得繼續前進。」

「搞什麼鬼……」貝萊脫口而出，他實在氣壞了，忘了自己仍在衛生間。

機·丹尼爾的聲音在他耳畔響起：「我猜電子鼻偵測到了某種能量源，你是不是帶著手銃，以利亞？」

貝萊猛然轉身，滿臉漲得通紅。他至少試了兩次，才勉強發出沙啞的聲音：「警官隨時隨地不遠離手銃，上下班皆然。」

這可是他成年之後，第一次在衛生間裡面開口說話。上次這樣做時他才十歲，那回是他和波瑞斯舅舅一起去衛生間，而他只是因為踢到腳趾，下意識地抱怨了一句。等到回家後，波瑞斯舅舅痛打他一頓，並且狠狠告誡他，務必牢記公共場所的禮節。

機·丹尼爾說：「訪客一律不得攜帶武器，這是我們的慣例，以利亞。即使是你們的局長，他每次來訪也會將手銃留在這裡。」

倘若換成其他情況，貝萊幾乎都會轉身一走了之，不但離開太空城，而且再也不和這個機器人打交道。然而，這時他實在太想執行自己所擬定的方案，實在太想扎扎實實進行自己的復仇計畫。

他想，雖然剛才的健康檢查比起早年已經溫和得多，但自己的體會還是十分深刻，能夠百分之百理解導致當年「關卡暴動」的那種怒火。

貝萊忿忿不平地解開手銃皮帶，機·丹尼爾接了過去，將它放入一個壁槽內，一條薄薄的金屬片立刻滑下來，封住了整個壁槽。

「可否請你將拇指按在這裡，」機・丹尼爾說：「從現在起，就只有你的拇指能開啟了。」

貝萊突然覺得自己像是赤身裸體，而且，相較於剛才在淋浴間，現在這種感覺更加強烈。就這樣，他走過剛才被金屬棒阻擋的地方，最後終於走出衛生間。

他再度置身於一條通道，可是其中充斥著一種古怪的氣氛。比方說，前方的光線顯得相當陌生，同時，他感覺到一股氣流拂過臉龐，自然而然聯想起剛有警車開過。

機・丹尼爾想必看出他滿臉不自在，連忙解釋：「你現在等於已經來到露天空間，以利亞，一切都是天然的。」

貝萊覺得有點噁心。太空族僅僅由於某人來自大城，就對他採取這麼嚴密的防範，而他們自己卻呼吸著露天的骯髒空氣，這究竟是何道理？他用力縮緊鼻孔，彷彿如此便能較有效地過濾吸入的空氣。

機・丹尼爾說：「我相信你終究會發現，天然空氣並不會危害人類的健康。」

「好吧。」貝萊有氣無力地說。

惱人的氣流仍不斷衝擊他的臉龐，雖然很輕柔，但也很古怪，令他心神不寧。

更糟的是，通道遠方竟然呈現一片藍色，而當他們抵達通道口，隨即有強烈的白色光芒傾瀉而下。貝萊並非沒見過陽光，某次出任務時，他曾進入一間天然日光浴館，不過由於四周有防護玻璃阻隔，太陽的影像被折射成一個不起眼的光暈。反之，此地則是全然的露天環境。

他自然而然抬頭望了望太陽，又連忙低下頭來，但還是免不了眼冒金星，而且淚水直流。一名太空族向他們走來，貝萊頓時感到坐立不安。

然而，機．丹尼爾卻向那人迎了上去，並且和他握了握手。那太空族隨即轉身面對貝萊，對他說：「警官，請跟我走好嗎？我是漢．法斯陀夫博士。」

進了穹頂屋之後，情況便好些了。貝萊不知不覺眼珠轉個不停，室內空間的寬敞以及規劃之隨性令他驚嘆不已，但另一方面，他很慶幸能夠回到有空調的環境。

法斯陀夫坐下來，交疊起一雙長腿，然後說：「我猜你目前還無法接受自然風。」

他表現得似乎很友善。貝萊趁機打量他，只見他的額頭有些細小的皺紋，眼下和頦下的皮膚已經有些鬆垮；他的頭髮雖然稀疏，但沒有灰白的跡象。此外，他有一對頗大的招風耳，使他看起來其貌不揚，甚至有些滑稽，讓貝萊產生了幾分親切感。

今天早上，貝萊又將恩德比在太空城拍攝的照片看了一遍。那時，機．丹尼爾剛剛安排好太空城之旅，貝萊滿腦子想的都是即將和太空族面對面了。雖然他曾數度和遠在幾英里外的他們通話，但在感覺上，透過載波和當面接觸可是天差地遠。

總體來說，那些照片裡的太空族和膠捲書中的人物差不多：身材高大、滿頭紅髮、神情嚴肅、面貌俊美。或者說，他們都很像機．丹尼爾．奧利瓦。

當機．丹尼爾將那些太空族的名字一一告訴貝萊，貝萊突然指著一個人，驚訝地說：「這不會是你吧？」機．丹尼爾回答：「不是我，以利亞，那是我的設計者薩頓博士。」

他說這句話的時候，不帶一絲個人情感。

「你的製造者照著自己的形象造人？」貝萊語帶諷刺地問，但並未得到任何回應，而且老實說，他也未曾指望能問出什麼結果，因為據他瞭解，《聖經》在外圍世界的流傳程度趨近於零。

而現在，貝萊望著這位非常不像一般太空族的漢．法斯陀夫，身為地球人的他覺得感激不盡。

「你想不想吃點東西？」法斯陀夫指著面前的桌子問。

這時他與機．丹尼爾坐在同一邊，和他們的地球訪客隔桌相對。桌上只有一個大碗，裡面盛滿五顏六色的球體，貝萊原本以為那是裝飾品，這時不禁有點訝異。

機．丹尼爾解釋道：「這些水果全部來自奧羅拉上的天然植物，我建議你試試這種，它叫做蘋果，出了名的好吃。」

法斯陀夫笑了笑。「當然，這並非機．丹尼爾的個人經驗，但他說得相當正確。」

貝萊拿起一顆紅裡透綠的蘋果，它摸起來涼涼的，聞起來有一股淡淡的香味。他將蘋果湊到嘴旁，鼓起勇氣咬了一口，不料果肉竟然出奇地酸，令他的牙齒很不好受。

他小心翼翼地咀嚼著陌生的果肉。當然，在配額範圍內，大城居民都能享用天然食物，他自己就經常吃到天然肉類和麵包。不過，那些食物總是經過某種處理，例如烹煮或碾磨、混合或化合。至於所謂的水果，正確地說其實都是果醬或果乾。而他手中這顆蘋果，卻一定是直接來自另一顆行星的土壤。

他心想：希望他們至少清洗過。

想到這裡，他再度質疑太空族對於清潔的定義和標準。

法斯陀夫開始說：「讓我更具體地自我介紹一下，針對薩頓博士的謀殺案，我負責太空城這端的調查工作，正如同恩德比局長負責大城那一端。如果我能對你提供任何幫助，請你儘管開口。我們和你們一樣，極其希望不聲不響地解決這次的危機，並且防止類似事件再度發生。」

「謝謝你，法斯陀夫博士。」貝萊說：「我很認同你這種態度。」

客套話到此為止吧，他這麼想。然後，他朝蘋果核心部分咬了一口，立刻有幾個硬硬的小顆粒彈進他嘴裡。他下意識地用力一吐，黑黑的小顆粒便一一墜落地面，要不是法斯陀夫閃避得快，其中一顆就會打中他的小腿。

貝萊滿臉通紅，趕緊彎下身去。

法斯陀夫和氣地說：「真的沒關係，貝萊先生，請你別管了。」

貝萊重新挺直腰，小心謹慎地將吃剩的蘋果放在一旁。他有個尷尬的預感，一旦自己離開這裡，那些小顆粒就會被一個個吸起來，此外整碗水果都會被燒掉，或是丟棄到太空城外很遠的地方，而他們待過的這個房間則會徹底噴灑殺毒藥水。

為了掩飾自己的窘態，他顧不得禮貌，趕緊轉移話題：「希望能允許我邀請恩德比局長，以三維化身的方式參加我們的會議。」

法斯陀夫揚了揚眉。「既然你開口，當然沒問題。丹尼爾，請你進行連接好嗎？」

貝萊惴惴不安地僵坐在那裡，緊盯著房間的一角，那裡有個巨大的平行六面體，亮晶晶的表面正逐漸轉趨透明，朱里斯．恩德比局長和半張辦公桌就在其中出現。直到這一刻，貝萊才感到如釋重負。他忽然覺得這個熟悉的形象太可愛了，而且好希望能和他一起安然地待在那間辦公室——或是待在大城任何角落都好，即使是最討人嫌的澤西酵母區也無所謂。

既然目擊證人出現了，貝萊認為沒必要再拖延，於是說：「我確信自己已經揭開了薩頓博士死亡之謎。」

從眼角的餘光，他看見恩德比猛然跳了起來，手忙腳亂地抓向飛掉的眼鏡（這回成功了）。但是站起來之後，局長頭部超出了三維接收器的範圍，於是不得不重新坐下，只見他漲紅了臉，一句話也說不出來。

法斯陀夫博士雖然也很震驚，但他的反應溫和得多，只是將頭偏向一側。唯一不為所動的，只有機．丹尼爾一個人。

「你的意思是，」法斯陀夫說：「你知道兇手是誰？」

「不，」貝萊說：「我的意思是並沒有發生謀殺案。」

「什麼！」恩德比尖叫一聲。

「慢著，恩德比局長。」法斯陀夫一面說，一面舉起手來，然後，他緊盯著貝萊的眼睛，問道：「你的意思是，薩頓博士還活著？」

「是的，博士，而且我相信，我知道他在哪裡。」

「在哪裡？」

「就在那裡。」貝萊堅定地指著機・丹尼爾・奧利瓦。

第八章　機器人？

接下來好一陣子，貝萊能夠清清楚楚察覺到自己的脈搏，而在他的感覺中，時間似乎完全靜止了。機．丹尼爾的表情一如往常，看不出任何情緒，而漢．法斯陀夫僅僅流露出斯文人的驚訝，沒有其他更激烈的表情。

然而，貝萊最關心的還是朱里斯．恩德比局長的反應。但由於三維接收器的效能並不完美，恩德比的臉孔總是出現輕微閃動，解析度也不夠理想，雪上加霜的是這位局長又戴著眼鏡，使得貝萊幾乎看不清他的眼神。

貝萊心想：千萬別崩潰，朱里斯，我需要你。

其實，他並不擔心法斯陀夫會由於一時衝動而倉促採取行動，因為他曾經讀過一段記載：太空族沒有任何宗教信仰，而是以冷冰冰的、提升到哲學層次的「唯智主義」取而代之。他相信這個說法，並將賭注押在上面——他們凡事一定會慢慢來，而且一定會以理性為基礎。

假使這裡只有他一個地球人，那麼在說完剛才那番話之後，他確定自己絕不可能再回到大城，因為冷酷的理性不會允許。對太空族而言，他們的計畫要比一個大城居民的性命更重要許多倍。他們會找個藉口搪塞朱里斯．恩德比，或許他們會將自己的屍體交給這位局長，然後搖搖頭，聲稱這是地球人的陰謀再度得逞。局長會相信他們，他就是這種人。若說他恨太空族，那也是恐懼所累積的結果。總之，他不敢不相信他們。

這就是為什麼局長必須成為真正的目擊證人，而且必須安然置身於太空族的精密算計之外。

這時，尚未完全回過神來的局長吃力地說：「利亞，你大錯特錯了，我見過薩頓博士的屍體。」

「你見到的只是一團燒焦的東西，是他們告訴你那是薩頓博士的屍體。」貝萊大膽反駁，與此同時，他沒好氣地想到局長那副摔壞的眼鏡，對太空族而言，那可是天上掉下來的禮物。

「不，不，利亞。我和薩頓博士很熟，而他的頭部依然完好，所以死者的確是他。」局長不安地摸了摸眼鏡，彷彿他自己也想到了那回事，趕緊又補充：「我看得很仔細，非常仔細。」

「那麼這位呢，局長？」貝萊再度指著機．丹尼爾，「難道他不像薩頓博士嗎？」

「像歸像，但是一尊雕像也會像。」

「面無表情這件事是可以假裝的，局長。假設你所看到的屍體其實是個機器人，你說看得很仔細，可是究竟有多仔細？你能否分辨，傷口到底是被手銃轟成焦黑的有機組織，還是在熔解過的金屬上覆蓋著一層碳化物質？」

局長帶著厭煩的表情說：「你越說越荒唐了。」

貝萊轉向那位太空族。「你們是否願意挖出屍體來開棺驗屍，法斯陀夫博士？」

法斯陀夫博士微微一笑。「原則上我不反對，貝萊先生，可是只怕辦不到。我們從不埋葬死者，太空族的葬禮一律使用火化，沒有任何例外。」

「可真方便哪。」貝萊說。

「請告訴我，貝萊先生，」法斯陀夫博士說：「你到底是用什麼方法，才得到這個離奇至極的結論？」

貝萊心想：他還不肯放棄，他會想盡辦法抵賴到底。

他一口氣說：「這並不困難。想要模仿機器人，除了呆滯的表情和硬邦邦的說話方式，還要照顧其他許多細節。你們這些來自外圍世界的人，問題在於早就和機器人相處慣了，你們幾乎將他們視為人類，於是你們對於兩者的差異逐漸視而不見。在地球上則不然，我們非常清楚機器人是什麼東西。

「首先我要指出，機．丹尼爾這個『機器人』實在太像人類了。他給我的第一印象就是一名太空族，後來我花了很大的力氣，才調整自己的心態，相信他是機器人。當然啦，這是因為他根本就是太空族，而並非機器人。」

機．丹尼爾插嘴道：「我告訴過你，以利亞夥伴，我的設計就是要讓我能融入人類社會一段時間，酷似人類正是為了這個目的。」他侃侃而談，並未因為自己正是這場爭論的焦點而有絲毫不自然。

「甚至不厭其煩地仿造人體所有的外觀，」貝萊追問：「雖然有些部位在一般情況下總是藏在衣服裡面？甚至連機器人根本不會用到的器官，也仿造得維妙維肖？」

恩德比突然說：「你是怎麼發現的？」

貝萊有些臉紅。「我在……在衛生間，忍不住多看兩眼。」

恩德比一副驚訝不已的表情。

法斯陀夫說：「想必你也瞭解，若要真正實用，相似度就必須百分之百。就我們的目的而言，半吊子的仿造只能得零分。」

貝萊忽然改口問：「我可以抽菸嗎？」

雖說一天抽三斗菸簡直是窮奢極侈，但此時此刻他正身冒奇險，亟需菸葉來幫助自己放鬆。畢竟，他正在和太空族唇槍舌戰，要設法逼他們將謊言吞回肚子裡。

法斯陀夫說：「抱歉，我希望你別抽。」

貝萊清楚地感到這個「希望」具有命令的力量，但由於原本的預期太過樂觀，他早就將菸斗抓在手上，這時只好再放回口袋。

這當然是自討沒趣，他在心中自我檢討。恩德比沒有事先警告我，是因為他自己不抽菸，但這也太明顯了，誰都可想而知。在那些衛生至上的外圍世界，他們自己不抽菸、不喝酒，杜絕了人類所有的不良嗜好，怪不得在那個該死的——丹尼爾稱它什麼？碳／鐵社會？他們無條件接受機器人；怪不得丹尼爾能將機器人扮演得維妙維肖，因為骨子裡他們全是機器人。

他說：「百分之百相似這一點，只是眾多疑點之一。昨天，當我將他帶回家的時候，」貝萊無法決定該稱他機．丹尼爾還是薩頓博士，只好用手一指，「我家附近險些發生一場暴動。是他平息了那場風波，而他所用的方法，竟然是拿手銃指著滋事的群眾。」

「老天，」恩德比中氣十足地喊道：「報告上說是你……」

「我知道，局長，」貝萊說：「那份報告的內容是我提供的，我不希望正式記錄上寫著有一個機器人曾經威脅要轟死人類。」

「不行，不行，當然不能寫。」恩德比顯然嚇壞了，他身體向前傾，查看一個位於三維接收器之外的東西。

貝萊猜得到，局長是在檢查電力計，以確定發射機沒有遭到竊聽。

「這也是你的論證之一？」法斯陀夫問。

「那還用說，機器人學第一法則要求機器人不得傷害人類。」

「可是機·丹尼爾並未造成任何傷害。」

「沒錯。事後他甚至表明，在任何情況下，他都絕對不會開火。話說回來，我從未聽過有哪個機器人能違背第一法則的精神到了威脅人命的程度，即使他並未真正打算這麼做。」

「我懂了。你是機器人學專家嗎，貝萊先生？」

「不是，但我上過普通機器人學和正子線路分析的課程，博士，所以我也不能算門外漢。」

「很好。」法斯陀夫表示贊同，「但你該知道，我是真正的機器人學專家，而我可以向你保證，機器人心智的一大特點，在於完全從字面意義來詮釋萬事萬物；對它而言，第一法則就是那幾個字，背後並沒有什麼『精神』。你們地球人所使用的那種簡單機型，它們的第一法則或許被加上好些額外的安全機制，所以沒錯，它們很可能無法威脅人類。可是，像機·丹尼爾這樣的先進機型則另當別論。根據我對當時情況的猜測，為了阻止那場暴動，丹尼爾確有必要那麼做。他的目的是要防止人類受到傷害，所以他是在服從而並非違反第一法則。」

貝萊內心七上八下，但盡力維持表面的鎮定。戰況越來越白熱化，但即使對方另闢戰場，他也絕不要輸給這個太空族。

他說：「我提出的各項疑點，你或許能逐一反駁，但如果把它們加起來，我看你就沒輒了。昨天晚上，當我們在討論所謂的謀殺案時，這位自稱機器人的仁兄曾說，他之所以能扮演偵探，是因為他的正子線路加裝了一種新的驅力，那就是，聽好了，正義的驅力。」

「我可以替這件事背書。」法斯陀夫說：「那是三天前，在我親自監督下完成的。」

「正義的驅力？正義，法斯陀夫博士，是個抽象的概念，只有人類懂得這兩個字。」

「如果你將『正義』定義成一個抽象概念，如果你說正義就是善有善報、惡有惡報，或者就是堅持公正和公義等等，那麼我也同意你的論點，貝萊先生。以我們目前的知識水平，的確無法在正子腦中模擬出人類對抽象概念的理解。」

「所以說，你也承認這一點——以機器人學專家的身份？」

「當然承認。但問題是，機．丹尼爾所說的『正義』到底作何解釋？」

「根據我們的談話內容判斷，他對這兩個字的解釋，和你我或任何人類的解釋如出一轍，那絕非機器人所能做的解釋。」

「你何不直接問他，貝萊先生，要他自己下個定義。」

貝萊覺得信心有點動搖了，他轉身面對機·丹尼爾。「你怎麼說？」

「什麼事，以利亞？」

「你對正義的定義是什麼？」

「所謂的正義，以利亞，就是讓所有的法律都發揮應有的效力。」

法斯陀夫點了點頭。「對一個機器人而言，貝萊先生，這是個很好的定義。所以說，在機·丹尼爾腦中有個內建的渴望，讓他想要見到所有的法律都發揮效力。對他而言，正義是非常具體的東西，因為正義建立在有效的執法之上，而有效的執法又建立在明確的法律條文之上，這其中沒有任何一環是抽象的。對人類而言，或許可以根據抽象的道德標準，看出某些法律是惡法，將導致不公正的結果，可是你怎麼說呢，機·丹尼爾？」

「不公正的法律，」機·丹尼爾心平氣和地說：「是一個自相矛盾的名詞。」

「對機器人而言正是如此，貝萊先生。所以你明白了吧，你心目中的正義和機·丹尼爾所謂的正義絕不能混為一談。」

貝萊猛然轉向機·丹尼爾，冷不防地說：「昨天夜裡，你曾經離開公寓。」

機·丹尼爾答道：「是的，如果我的行動打擾到你們的睡眠，我向你道歉。」

「你去了哪裡？」

「去男用衛生間。」

一時之間，貝萊啞口無言。這個答案是他早已認定的事實，但他並未指望機·丹尼爾會主動承認。他覺得自信又悄悄溜走一點，但他仍舊堅守陣地。局長正在觀看這場論戰，他的目光在雙方身上來來往往。貝萊提醒自己，無論對方使出什麼詭辯，都絕對不能退縮，一定要堅持住自己的論點。

他說：「我們抵達社區之後，他堅持要和我一起進衛生間，但他的藉口相當拙劣。而正如他剛剛承認的，他在半夜又離開我家，去了衛生間一趟。如果他是人類，我會說這麼做合情合理，道理太明顯了。然而，身為機器人，這種舉動就毫無意義，因此唯一的結論就是──他是人類。」

法斯陀夫點了點頭，可是似乎毫無認輸的跡象。他說：「實在太有趣了，讓我們來問問丹尼爾，昨夜他為何要去衛生間。」

恩德比局長傾身向前。「拜託，法斯陀夫博士，」他咕噥道：「這種問題可不……」

「你不必擔心，局長，」法斯陀夫彎起薄薄的嘴唇，做出一個似笑非笑的表情，「我確信丹尼爾的答案不會刺激到你或貝萊先生的敏感神經，還不趕緊告訴我們，丹尼爾？」

機．丹尼爾說：「昨天晚上，以利亞的妻子潔西在離開公寓時，對我還相當客氣，顯然她還毫無理由懷疑我並非人類。但回來的時候，她已經知道我是機器人了。因此可以得到一個明顯的結論：她是在公寓外面獲悉這個祕密的。由此可知，昨晚我和以利亞的談話遭到了竊聽，否則我的祕密身份不會變得人盡皆知。

「以利亞告訴我，公寓的隔音效果極佳，但我們還是低聲交談，因此普通的竊聽裝置是無法得逞的。話說回來，很多人都知道以利亞是警察，如果大城中有個組織嚴密的陰謀集團，本事大到足以刺殺薩頓博士，他們想必也獲悉了受命調查這件案子的就是以利亞。因此不能排除——甚至很有可能——他的公寓遭到間諜波束竊聽。

「等到以利亞和潔西就寢後，我盡全力搜索那間公寓，偏偏找不到任何發射器，這就代表情況更複雜了。即使沒有發射器，『聚焦雙波束』也能進行竊聽，可是這就需要更精密的設備。

「仔細分析這個情況，便能導致以下結論：大城居民只有在一個地方，可以愛做什麼就做什麼，不會受到任何干擾或質疑，那個地方就是衛生間。那裡的絕對隱私是一種根深柢固的習俗，你在裡面甚至可以設定雙波束，其他男士連看也不會看一眼。以利亞的公寓相當接近衛生間，所以距離因素並不重要，只要手提型即可發揮功能。我半夜去衛生間，就是要調查這個可能性。」

「你找到了什麼？」貝萊立刻追問。

「什麼也沒找到，以利亞，沒有任何雙波束的跡象。」

法斯陀夫博士說：「好啦，貝萊先生，在你聽來這個答案還算合理嗎？」

但此時貝萊已恢復了自信，他答道：「乍聽之下或許還算合理，不過距離完美無缺還差得遠。我太太曾私下告訴我她是何時何地聽到這個消息的，而他並不知道這件事。聽著，她是在離家不久之後，便猜想到他是機器人，但當時風聲早已流傳了好幾個鐘頭。所以說，他是機器人這項事實，不可能是從我們當晚的談話中洩漏出去的。」

「雖然如此，」法斯陀夫博士說：「我想，他昨晚去衛生間這回事還是有了合理的解釋。」

「可是卻帶出另一個無解的問題，」貝萊激動地反駁，「這個祕密究竟是何時、何地以及如何洩漏的？大城中出現一個太空族機器人的消息，到底是如何傳開的？據我所知，我們這頭只有兩個人知道這個計畫，那就是恩德比局長和我自己，而我們並未告訴任何人。局長，局裡還有第三個人知道嗎？」

「沒有，」恩德比急忙澄清，「就連市長也蒙在鼓裡。除了你我，就只有法斯陀夫博士知情了。」

「還有他。」貝萊又伸手一指。

「我？」機．丹尼爾問。

「我說錯了嗎？」

「我一直和你在一起啊，以利亞。」

「並非如此。」貝萊厲聲喊道，「在我們進家門之前，我在衛生間至少待了半小時，這段時間，我們完全不知道對方在做什麼。你就是利用這個時機，和你們在大城中的組織取得了聯絡。」

「什麼組織？」法斯陀夫問。

「什麼組織？」恩德比局長幾乎同時冒出相同的四個字。

貝萊站了起來，轉身面對三維接收器。「局長，下面這番話我希望你仔細聽好，然後告訴我能否從中拼出什麼來。首先，太空城發生了一樁謀殺案，而且無巧不巧，剛好發生在你正要去赴約會見死者的時候。你看到了一具所謂的屍體，可是那具屍體很快就被處理掉，以致無法再做更詳細的檢查。

「太空族堅稱兇手是地球人，不過他們之所以敢這麼指控，唯一的依據只是假設兇手在夜間獨自從大城經過鄉間來到太空城。這種可能性有多小，你老兄再清楚不過。

「他們的下一步，則是指派一個所謂的機器人來到大城；其實應該說，是他們堅持要派他來的。這個機器人抵達後，第一件事便是用手銃威脅一群人類，第二件事則是放出風聲，讓大家都知道大城中出現一個太空族機器人。事實上，這個風聲的內容非常明確，所以潔西告訴我，據說那機器人正在和警方合作。這就代表要不了多久，大家便會想到亂用手銃的正是這個機器人。而此時此刻，或許已經謠言滿天飛，就連酵母農業區和長島的水耕廠，也無人不知有個殺手機器人正在四處遊走。」

「這是不可能的，不可能的！」恩德比呻吟著。

「不，並非不可能，而且這正是真實的情況。局長，難道你看不出來嗎？沒錯，大城中的確有個陰謀集團，但它是由太空城所遙控的。太空族希望發生謀殺案，他們希望引起暴動，他們希望太空城遭到攻擊。事情鬧得越大，藉口也就越好——然後太空族的星艦就會降臨，佔領地球上每一座大城。」

法斯陀夫和和氣氣地說：「早在二十五年前，我們就能拿關卡暴動當藉口。」

「那時你們還沒準備好，現在萬事俱備了。」貝萊感到心臟在胸腔內狂跳。

「根據你的指控，這是個相當複雜的計畫，貝萊先生。如果我們想要佔領地球，大可用簡單許多的方式。」

「也許不行，法斯陀夫博士。這個所謂的機器人告訴過我，在你們那些外圍世界上，大家對地球的看法絕對談不上統一，我相信至少在這點上，他說的全是真話。也許直接佔領地球並不能為母星同胞所接受，也許確有必要製造一個事端當藉口，而且是個駭人聽聞的重大事端。」

「例如一樁謀殺案，啊？是不是？而且必須是假的，這點你該接受吧？我希望你不會想要暗示，我們為了製造事端，真的殺掉一名同胞。」

「你們製造了一個酷似薩頓博士的機器人，把它轟掉後，再將殘骸出示於恩德比局長。」

「既然，」法斯陀夫博士說：「我們在一場假謀殺中，利用機．丹尼爾扮演薩頓博士，就必須在其後的假調查中，讓薩頓博士扮演機．丹尼爾。」

「正是這樣，我當著目擊證人的面揭穿你的陰謀。請注意，這位證人的真身並不在這裡，所以你無法令他瞬間蒸發，而他又有舉足輕重的地位，能取信於大城政府和華盛頓當局。我們已經知道你們的圖謀，我們將會有所準備，如果有必要，我們的政府會直接訴諸你們的同胞，毫無保留地揭露這一切，我就不信太空族能容忍這種星際暴行。」

法斯陀夫搖了搖頭。「拜託，貝萊先生，你越說越不合理了。真是的，你簡直就是語不驚人死不休。可否暫且假設，僅僅假設而已，機．丹尼爾的確是機．丹尼爾，是個真正的機器人，在這個前提下，恩德比局長見到的屍體豈不真的是薩頓博士了？除非你認為屍體是另一個機器人，但這點幾乎說不通。恩德比局長曾經目睹機．丹尼爾的製造過程，他可以證明這個機型是獨一無二的。」

「如果扯到這個問題，」貝萊以頑強的口吻說：「局長並不是機器人學專家，你們有可能瞞著他造了十來個這樣的機器人。」

「請別扯遠了，貝萊先生。萬一機．丹尼爾真的就是機．丹尼爾，你又怎麼說？這麼一來，你的整個推理架構豈不就垮台了？或是你還有其他的根據，能繼續支持你堅信這個既胡鬧又胡扯的星際陰謀？」

「他根本不是機器人！我咬定他是人。」

「你並未真正探究過這個問題，貝萊先生。」法斯陀夫說：「要分辨機器人和人類的差別，即使是非常像人的機器人，也不必根據他的一言一行來推理，那樣反倒不可靠。比方說，你有沒有試過用針戳戳機．丹尼爾？」

「什麼？」貝萊驚訝得嘴巴都合不攏。

「這是很簡單的實驗，其他的實驗或許就沒那麼簡單了。例如他的皮膚和毛髮看來都不假，但你有沒有試著將它們放大來觀察？此外他似乎也會呼吸，尤其當他利用空氣來說話的時候，但你有沒有注意到他的呼吸並不規律，有時幾分鐘根本沒吸一口氣。你甚至可以收集些他呼出的空氣，測量其中的二氧化碳含量。還有，你還可以試著替他抽血，試著偵測他腕部的脈搏或胸部的心跳。你懂我的意思了嗎，貝萊先生？」

「這只是一堆廢話，」貝萊有點不安了，「我可不會給你唬到。我大可試著這麼做，可是你想想，這個所謂的機器人會讓我拿皮下注射器、聽診器或顯微鏡來研究他嗎？」

「有道理，我懂你的意思。」法斯陀夫說完，望了機．丹尼爾一眼，並做了一個小手勢。

機．丹尼爾用左手碰了碰右手的袖口，整條袖子的反磁接縫便從頭裂到尾，令他的手臂整個露在外面。那是一條光滑、結實而且毫無異狀的人類手臂，上面的古銅色汗毛無論在數量上或分布上都如假包換。

貝萊問：「怎麼樣？」

機．丹尼爾伸出左手的拇指和食指，捏住了右手中指的指尖，至於接下來有些什麼細部動作，貝萊就看不清楚了。

不過，正如剛才反磁接縫的力場消失後，整條衣袖裂成兩半，這時同樣的事也發生在那條手臂上。

在一層薄薄的、類似肌膚的物質之下，竟然呈現一片灰藍色，仔細一看，裡面是不銹鋼所製成的骨骼、韌帶和關節。

「你想不想靠近一點，看看丹尼爾是如何運作的，貝萊先生？」法斯陀夫博士客客氣氣地問。

貝萊幾乎沒聽見這句話，因為他的耳朵正在嗡嗡作響，而且局長還突然發出高亢且歇斯底里的大笑。

第九章　太空族

幾分鐘過去了，嗡嗡聲越來越響亮，逐漸蓋過遠方的笑聲。穹頂屋以及其中的一切似乎都在搖晃，就連貝萊的時間感也不例外。

最後，他終於發現自己仍坐在原來的位置，但明顯感到一段時間已經消失。局長不見了，三維接收器變回不透明的乳白六面體；機．丹尼爾坐在他旁邊，正捏著他上臂的一小塊皮膚。在那塊皮膚下面，貝萊看見一個「埋針」的細小暗影，它在自己的注視下逐漸消失，滲透進細胞間液，然後開始擴散至鄰近的細胞和血液，最後抵達他全身每一個細胞。

他總算回到現實之中。

「你覺得好些了嗎，以利亞夥伴？」機．丹尼爾問。

貝萊的確好多了，他試著將自己的手臂抽回來，機器人則完全配合。然後，他一面拉下衣袖，一面四下望了望。法斯陀夫博士仍面帶微笑坐在原處，那抹笑容替他的平庸相貌加分不少。

貝萊問：「我昏過去了嗎？」

法斯陀夫博士答道：「可以這麼講，想必你受到了相當大的震撼。」

貝萊清清楚楚地想起剛才發生的一切。他迅速抓起機．丹尼爾的一隻手臂，盡量將袖子向上拉，以便露出手腕的部分。一摸之下，他發現這個機器人的肌膚雖然柔軟，其下卻有比骨骼更硬的東西。

機・丹尼爾任由自己的手臂抓在這位便衣刑警手中。貝萊開始審視這隻手臂，並且沿著中線一路捏上去，心想，到底有沒有一條看不見的接縫呢？

照常理來說，當然應該有。這個機器人故意造得酷似人類，全身包覆著人工皮膚，因此不可能用普通的方式進行修理；他的胸板不可能靠鉚釘來拆卸，頭顱也不可能藉著鉸鏈來開闔。所以，這個機械軀體的各個部分，必定是沿著微磁場的一條力線組裝在一起的。只要找對位置輕輕一碰，就能令手臂、頭顱甚至整個身體裂成兩半，而輕觸另一處則能使它還原。

貝萊抬起頭，帶著極度的羞愧含糊問道：「局長呢？」

「他臨時有急事。」法斯陀夫博士說：「所以我勸他先退席，並向他保證我們會好好照顧你。」

「你的確將我照顧得相當好，謝謝你。」貝萊繃著臉說：「我想，我們的會已經開完了。」

他硬生生撐起疲累的身體，轉眼間，突然覺得自己老了好多歲，老得再也無法東山再起了。此時此刻，他不需要什麼神機妙算，就能輕易預見自己的未來——

局長的反應，一定是恐懼和憤怒參半。他會臉色蒼白地面對著貝萊，而且每隔十五秒便摘下眼鏡擦拭一次。然後，他會輕聲細語地（朱里斯・恩德比這個人幾乎從不咆哮）仔細解釋太空族如何被氣得半死。

「和太空族講話不能用你那種方式，利亞，他們是不會接受的。」貝萊能在心中將恩德比的聲音聽得非常清楚，連最細微的抑揚頓挫也不會遺漏，「我要先警告你，很難說你造成了多大的傷害。你給我聽好了，我明白你的想法，也明白你打算怎麼做。如果他們是地球人，情況就完全不同，我會答應你，讓你碰碰運氣，冒冒險，揪出他們的狐狸尾巴。可是，太空族啊！你應該先告訴我一聲，利亞，你應該先跟我商量一下。我瞭解他們，我徹徹底底瞭解他們。」

而貝萊又能如何回答呢？一、正巧恩德比就是絕對不能事先知情的那個人。二、這個計畫冒著極大的風險，而恩德比生性卻極其小心謹慎。三、恩德比自己曾特別指出，不論貝萊是徹底失敗，或是取得錯誤的成功，都會導致無比的凶險。四、唯一能夠避免他們遭到解雇的一條路，就是證明錯在太空族自己……

恩德比又會這麼說：「我們必須針對此事提出一份報告，利亞，然後各式各樣的反應便會陸續出現。我瞭解太空族，他們會要求換人辦這個案子，而我們必須照辦。你該瞭解我的難處，利亞，對不對？我會設法從輕發落你，這點你大可放心；在能力範圍內，我會盡力保護你，利亞。」

貝萊知道這番話句句屬實，局長的確會設法保護他，但唯有在能力範圍內，而不會（比如說）在市長的氣頭上再來個火上加油。

他心中也能聽到市長會怎麼說：「他媽的，恩德比，這究竟是怎麼回事？為什麼事先不跟我商量？這座大城是誰在當家作主？為什麼一個未經核准的機器人能夠入城？而這個貝萊又到底在搞什麼鬼……」

如果一邊是貝萊在警界的前途，另一邊則是局長自己，在兩者無法兼顧的情況下，貝萊還能有什麼指望呢？他甚至找不到正當理由怪罪恩德比。

最好的結果是降級處分，而這就夠慘了。這麼說吧，即使遭到了解雇，只要仍舊生活在當今的大城，便能確保一定活得下去，可是活得下去是什麼意思，他自己再清楚不過。

唯有依靠身份地位，才能掙得一些額外的權利：座位比較舒適、牛排比較精美、排隊等候的時間較短等等。

對一個豁達的人而言，似乎不值得打破頭去爭取這些小小的特權。然而，不論一個人多麼豁達，一旦擁有這些特權，絕對不會輕言放棄，這就是問題所在。

比方說，如果過去三十年間，跑衛生間已經成為生活中再自然不過的一件事，一旦公寓裡的臉盆獲准啟動，又能增加多少便利呢？即使想將它當作「地位」的表徵，恐怕也派不上什麼用場，因為炫耀「地位」是社會所不恥的行為。可是萬一臉盆又遭到禁用，勤跑衛生間會是多麼羞辱和令人難以忍受的一件事！在臥室刮鬍子將會是多麼難忘的甜蜜回憶！而這種失落感又是個什麼滋味！

如今，政論作家每當回顧中古時代，會一窩蜂地以高高在上的態度否定當時的「金權主義」，亦即以金錢作為經濟的基礎。他們一致認為那時的生存競爭非常慘烈，由於「搶錢搶破頭」的壓力始終存在，因而無法維繫一個真正複雜的社會（學者對於「錢」的本質各有各的解釋，但對於這句話的意義並沒有歧見）。

相較之下，當今「公民精神」的效率和開明則受到高度的讚譽。或許吧。然而，傳奇性或感性的歷史小說卻都有不同的看法，而懷古人士則認為正是「金權主義」孕育了個人主義和進取心。

對於這個問題，貝萊原本不願選邊站。可是現在，他不得不捫心自問，一個努力搶錢的古人，和一個努力保有週日雞腿的大城居民（在此所謂的雞腿，是指家禽身上長出的真正肉類），兩相比較之下，到底誰比較辛苦呢？萬一失敗了，誰又會比較難過呢？

貝萊心想：我倒無所謂，可是還有潔西和班呢。

這時，法斯陀夫博士的聲音打斷了他的思緒。「貝萊先生，你聽見我說話嗎？」

貝萊眨了眨眼睛。「啊？」他已經像呆子那樣站在那兒多久了？

「你何不坐下來呢，警官？既然你心中的結已經解開，或許你有興趣看看我們拍攝的影片，包括犯罪現場以及後續處理的經過。」

「不了，謝謝你，我在大城還有其他公事。」

「薩頓博士的案子該是第一優先吧。」

「對我而言不是，我想這個案子已經不是我的了。」說到這裡，他突然萬分激動，「他媽的，既然你能證明機．丹尼爾是機器人，為何不立刻澄清呢？你為什麼要導演一齣這樣的鬧劇？」

「我親愛的貝萊先生，因為我對你的推論非常感興趣。至於這個案子還是不是你的，我看很難說。在局長離開之前，我特別要求他把你留住，我相信他會合作的。」

貝萊有點心不甘情不願地坐下，猛然冒出一句：「為什麼？」

法斯陀夫博士雙腿交疊，嘆了一口氣。「貝萊先生，我遇見過的大城居民，一般來說分為兩類，那就是暴民和政客。你們的局長對我們很有幫助，但他是個政客，他只會說我們想聽的話，而且常常操弄我們，我想你瞭解我的意思。而你不同，你一來到這裡，就大膽地指控我們犯了滔天大罪，而且努力設法證明你的論點。我很喜歡這種事，而且我認為這是很有希望的發展。」

「多麼有希望？」貝萊語帶諷刺地問。

「足夠有希望了，因為我可以和你這個人直來直往。昨天晚上，貝萊先生，機．丹尼爾曾用屏蔽次乙太波向我報告，當時我就對你的背景非常感興趣，比方說，你家裡的那些藏書相當耐人尋味。」

「那些書怎麼樣？」

「有許多都是歷史和考古方面的書籍，看來你對人類社會這個主題感興趣，對它的演化也略有瞭解。」

「即使是警務人員，下班後也有讀書的自由。」

「沒錯。我很高興你把休閒時間花在這上面，這對於我想進行的溝通很有幫助。首先，我打算解釋，至少試著解釋，外圍世界的同胞為何好像抱持著排外主義。我們住在太空城內，我們從不進入大城，我們只有在非常嚴苛的條件下，才和你們大城居民做有限度的來往。雖然我們呼吸露天的空氣，但總是透過了過濾裝置。此時我坐在這裡，鼻孔塞著濾器，雙手戴著手套，而且下定決心和你保持距離，你以為這都是為什麼？」

貝萊說：「沒必要讓我猜吧。」他心中響起一個聲音：讓他自己講。

「如果你的猜測和某些同胞一樣，那麼你會說，這是因為我們鄙視地球人，不願和他們沾上邊，以免喪失高高在上的地位。事實並非這樣，而真正的答案實在相當明顯：你所經歷的健康檢查以及清潔程序，沒有一項是儀式，全部確有必要。」

「預防疾病嗎？」

「對，正是這個原因，我親愛的貝萊先生。話說當年，那些開拓外圍世界的地球人，來到一個完全沒有地球細菌和病毒的新世界。當然，他們自己帶去一些，可是他們也帶去了最先進的醫療和微生物科技。他們只需要對付那一小群微生物，而且中間宿主並不存在，例如沒有蚊子傳播瘧疾，沒有蝸牛傳播住血吸蟲病。於是病原被一掃而空，只留下共生細菌繼續繁衍。漸漸地，外圍世界都變成了零疾病的環境，如此日久天長，外圍世界便越來越不能承受疾病的侵襲，對地球移民的限制也自然就越來越嚴格。」

「你自己從未生過病嗎，法斯陀夫博士？」

「從未生過有病原體的疾病，貝萊先生。當然，我們仍會罹患退化性疾病，例如動脈硬化。可是我從來沒有得過你們所謂的感冒，萬一染上了，我可能會病死，因為我對它毫無抵抗力。這就是我們太空城同胞所面臨的問題，我們來到這裡，其實是冒著一定程度的風險。地球上充滿各種疾病，而我們毫無防範，我是指天然的防範。你自己身上幾乎帶著所有已知的細菌，但你渾然不覺，因為藉著體內從小到大培養出的各種抗體，你在大多數的時候都能將那些細菌控制得很好，而我自己則欠缺那些抗體。你奇怪我為何不靠近你一點嗎？相信我，貝萊先生，我之所以表現得那麼不禮貌，純粹只是為了自保。」

貝萊說：「如果真是這樣，為何不讓地球人知曉事實的真相呢？我的意思是，並非你們覺得我們噁心，而是為了防範一種真實的、具體的危險。」

這位太空族搖了搖頭。「我們是少數，貝萊先生，何況還是不受歡迎的外人。為了我們自己的安全，我們不得不利用相當脆弱的威望，擺出高人一等的姿態。我們不能承認是我們不敢接近地球人，因為我們丟不起這個臉。除非有一天，地球人和太空族彼此更加瞭解。」

「以現在的條件，不可能出現那種情況。我們……他們之所以討厭你們，正是由於你們裝出來的那種優越感。」

「這是兩難的困局，別以為我們自己不知道。」

「局長知道嗎？」

「對他，我們從未像對你這樣明白解釋過。然而，他或許猜得到，他是個相當聰明的人。」

「假如他猜到了，應該會告訴我。」貝萊若有所思地說。

法斯陀夫博士揚了揚眉。「果真如此的話，你就不會考慮機．丹尼爾是真人的可能性了，對不對？」

貝萊微微聳了聳肩，想要敷衍過去。

但法斯陀夫博士繼續說：「你該知道，事實理當如此。即使不考慮心理上的障礙，我是指噪音和群眾帶給我們的可怕壓力，一名太空族進入大城仍然等於被判了死刑。這正是薩頓博士推動人形機器人計畫的原因，他們是太空族的替代品，專門設計來替我們進入大城……」

「對，機．丹尼爾對我解釋過這件事。」

「你不贊同嗎？」

「聽著，」貝萊說：「既然我們彼此開誠布公，就讓我直截了當問你一個問題。你們太空族來到地球到底是為了什麼？你們為何要來干涉我們的生活？」

法斯陀夫博士帶著明顯的驚訝說：「你對地球上的生活滿意嗎？」

「還過得去。」

「好，可是這樣還能維持多久呢？你們的人口持續增長，於是你們只有越來越賣命，才能提供足夠的熱量給每一個人。地球已經走到死胡同了，老兄。」

「我們還過得去。」貝萊頑固地重複這句話。

「勉勉強強罷了。像紐約這樣的一座大城，光是讓清水進、廢水出，就必須不遺餘力了。核能發電廠需要鈾來推動，而且需求量穩定增加，但就算跑遍太陽系，鈾元素也是越來越難取得。此外，大城居民想要活下去，各種原料一刻也不可或缺：酵母農場需要木漿，水耕廠需要礦物質，而空氣則必須不停地循環。這是一種在方方面面都非常脆弱的平衡，而且一年比一年更脆弱。萬一如此巨量的輸入輸出突然中斷，哪怕只有一小時，請問紐約會變成什麼樣子？」

「從來沒發生過這種事。」

「但不能保證將來不會發生。在原始時代，人口集中區基本上都是自給自足的，附近的農作物就能養活所有的人。除了直接的天災，例如洪水、瘟疫或歉收，沒有其他事物會對居民造成傷害。隨著這些集中區逐漸成長，以及科技逐漸進步，發生天災的集中區亦可藉由其他集中區伸出援手而度過難關，代價則是互賴的地域範圍日漸擴大。在中古時代，即使是最大的露天城市，也至少存有一星期份的糧食和各種緊急用品。當紐約剛變成大城的時候，可以自行撐一整天，現在卻連一小時也不行。一場天災，如果一萬年前僅僅造成生活不便，一千年前只能算事態嚴重，一百年前頂多是緊急狀況，如今則一定會帶來毀滅。」

貝萊有點坐不住了，頻頻更換姿勢。「這些說法我早就通通聽過。懷古人士希望廢掉所有的大城，希望我們回歸大地，重拾自然農業。嗯，我看他們都瘋了，我們不能這麼做。現在人口實在太多了，我們只能勇往直前，不能開歷史的倒車。當然啦，如果移民外圍世界沒有那麼嚴格的限制……」

「你也知道為何必須嚴加限制。」

「那還有什麼解決之道呢？你根本是在緣木求魚嘛。」

「移民到新的世界怎麼樣？銀河系有上千億顆恆星，根據估計，適合人類居住或是能改造成可住人的行星，至少也有一億顆。」

「這太荒謬了。」

「為什麼？」法斯陀夫博士激動地問，「這個建議為什麼荒謬？地球人曾經開拓過其他行星，在五十個外圍世界裡，有超過三十個是由地球人直接開拓的，我們的母星奧羅拉也包括在內。難道地球人再也做不到了？」

「這……」

「答不出來了嗎？讓我來說說看，如果真的再也沒有可能，那是因為地球上發展出了大城文明。大城出現之後，地球人的分工越來越專、越來越細，以致幾十億人全部黏在一起，不可能分出一部分到另一個新世界另起爐灶。另起爐灶這件事，過去的地球人曾經做過三十次；如今的地球人卻個個嬌生慣養，只能躲在溫暖的鋼穴裡，事實上是遭到永久禁錮。你，貝萊先生，甚至不相信大城居民能夠跨越鄉間來到太空城，所以對你而言，跨越星空前往一個新世界就是不可能的平方了。所謂的公民精神正在毀滅地球，警官先生。」

貝萊氣呼呼地說：「即便如此又怎麼樣？這和你們太空族又有什麼關係？這是我們的問題，我們自己會解決。如果解決不了，也是我們自己下地獄。」

「你們寧願一步步走下地獄，也不想換條路上天堂，啊？我瞭解你目前的感受，聽一個陌生人對你說教絕非愉快的事。但我倒是希望你的同胞也能對我們說說教，因為我們也面臨著一個相當類似的問題。」

貝萊冷冷一笑。「人口過剩？」

「我是說類似，而不是相同，我們的問題是人口過少。你看我有多大年紀？」

這位地球人考慮了一下，然後故意高估些。「我看你有六十歲。」

「你應該再加一百歲。」

「什麼！」

「準確地說，我快要滿一百六十三歲了。我是以地球標準年計算的，並沒有玩什麼數字遊戲。如果我運氣不錯，如果我好好照顧自己，最重要的是，如果沒有染上地球的疾病，我很有可能再活一百六十三年。在奧羅拉，已有不少超過三百五十歲的人瑞，而我們的平均壽命還在不斷提高。」

貝萊望向機．丹尼爾（他一直在默默聆聽這段對話），彷彿希望確認這件事。

然後他說：「這怎麼可能呢？」

「一個人口過少的社會，當然需要致力研究老人病學，並盡量瞭解老化的過程。在你們那樣的社會裡，延長平均壽命會導致災難，因為你們無法承受人口增加的後果。而在奧羅拉，即使人人活到三百歲也不成問題。所以說，我們的長壽當然要比你們的長壽珍貴兩三倍。

「假如你現在死了，或許會損失四十年的壽命，還可能更少。但如果換成我，我將損失一百五十年的壽命，還可能更多。於是，在一個像我們那樣的文明裡，每個生命都極為重要。我們的出生率一向很低，人口增長則受到嚴格的控制。我們將機器人對人類的比例維持在一個定值，它能讓每個人都過著最舒適的生活。而理所當然，當孩童處於發育期、尚未長大成人的時候，我們就會仔細篩檢出那些有生理和心理缺陷的。」

貝萊插嘴道：「你的意思是，你們會殺掉那些……」

「殺掉那些不合格的。我向你保證，過程完全沒有痛苦。乍聽之下，你一定無法接受我們的作法，但你們地球人漫無節制地生育，同樣令我們無法接受。」

「我們還是有節制的，法斯陀夫博士，每個家庭的子女數都有限制。」

法斯陀夫博士擠出一個寬容的微笑。「子女人數雖有限制，但不一定是健康的子女。而且即使有明文規定，還是有很多人違法，使得你們的人口不斷攀升。」

「誰又能決定哪些孩子應該活下去？」

「這是個相當複雜的問題，不是三言兩語能夠回答的，改天我們再好好討論吧。」

「好，那麼你們的問題到底是什麼？聽你這麼說，你對你們的社會好像很滿意。」

「它很穩定，但問題就出在這裡，它太穩定了。」

貝萊說：「在你眼中簡直沒一個好的，我們的文明來到了混沌的邊緣，而你們自己的文明又太穩定。」

「太穩定真有可能不是好事。過去兩個半世紀以來，沒有任何外圍世界開拓過新的行星，在可見的未來也不會有這方面的計畫。我們這些太空族一來壽命太長，所以不敢冒險，二來日子太舒服，所以捨不得放棄。」

「這我倒不清楚，法斯陀夫博士，你自己不就冒著染病的危險，來到了地球。」

「是的，沒錯。我們當中有些人，貝萊先生，覺得人類的未來太重要了，甚至值得我們拿倍增的壽命賭一賭。但我必須很遺憾地說，這樣的人太少太少了。」

「好吧，我們說到重點了。太空城在這方面又能提供什麼幫助？」

「我們嘗試將機器人引進地球，以便全力顛覆大城經濟結構的平衡。」

「這就是你所謂的幫助？」貝萊氣得嘴唇發抖，「你的意思是，你們故意製造出一批又一批遭到撤換和解雇的地球人？」

「請相信我，我們的出發點完全是善意的。我們正需要這麼一批遭到撤換的人，姑且借用你的說法，作為開拓外星的核心份子。正如歷史上的美洲，是由滿載罪犯的船隻所發現的。難道你看不出來，那些遭到撤換的人已被大城徹底放棄了，他們已經一無所有，唯有離開地球，才能贏得一個新世界。」

「但這是行不通的。」

「對，是行不通。」法斯陀夫博士痛心地說：「因為出了一點問題，地球人對機器人的憎恨成了絆腳石。其實，那些被視為罪魁禍首的機器人，可以在人類抵達新世界之初，幫助他們解決適應上的種種困難，使得開拓外星變得實際可行。」

「然後呢，創造更多的外圍世界？」

「不，早在公民精神席捲地球，甚至早在大城出現之前，外圍世界就已經誕生了。我心目中那批新殖民者，將兼具大城文明以及早期碳／鐵文明的背景，而新殖民地則會是一種綜合體，一種混血生物。照現在的情勢，在不久的將來，地球的社會結構就會搖搖欲墜，而在更久遠的未來，外圍世界也會慢慢衰退和衰敗，反之，那些新殖民地會是一個嶄新的健康品種，將兩種文明的精華合而為一。我們這些舊世界，包括地球在內，則可藉由和它們的互動，讓我們自己獲得新生的力量。」

「我不知道該怎麼講，一切都太難料了，法斯陀夫博士。」

「是的，這只是個夢想，但你還是放在心上吧。」說到這裡，這位太空族突然站了起來，「我和你會面的時間超過了我的預期，事實上，也超過了我們保健條例的允許。可否容我告退了？」

＊　＊　＊

貝萊和機．丹尼爾離開了穹頂屋。陽光再次灑在他們身上，這次換了一個角度，色澤也黃了一點。貝萊心中隱隱然有個疑惑，不知在另一個世界，陽光會不會有些差別；或許比較不那麼刺眼，比較宜人也說不定。

另一個世界？貝萊想，那位有著一對招風耳的太空族，在不知不覺間，將許多古怪的想法塞進了自己的腦袋。當年奧羅拉上那些醫生，可曾望著幼小的法斯陀夫，考慮是否應該允許他長大？他會不會太醜了？或者應該說，他們的標準到底有沒有包括外貌在內？醜到什麼程度才算畸形，而哪些畸形會……

當他們走進通往衛生間那道門，陽光隨即消失後，貝萊的情緒反倒更加起伏。

他義憤填膺地搖了搖頭。簡直是荒唐，竟然想強迫地球人移民，到外星建立一個新社會！根本就是一派胡言！這些太空族到底在打什麼主意？

他努力思索，卻百思不得其解。

隨著警車在車道內緩緩前進，貝萊重新沐浴在真實環境中。他的手銃沉甸甸地緊貼著臀部，那是一種既溫暖又令人安心的負擔，而大城的喧囂和紛擾也是同樣溫暖，同樣令人感到安心。

在大城逐漸將他們吞沒之際，他突然聞到一股輕微且飄忽的刺鼻氣味。

貝萊半信半疑地想：大城的空氣竟然有味道。

他很快就想通了，一來，在這個巨大的鋼穴裡，足足塞了兩千萬人，二來，生平第一次，自己的鼻子被戶外空氣清洗了一遍。

他又聯想到：在另一個世界，情況會不同嗎？人口比較少，因而空氣比較——比較乾淨？不過，在午後大城的聲浪包圍下，那股氣味逐漸淡去，最後再也聞不到了，貝萊忽然感到有點慚愧。

他將操縱桿慢慢向前推，以加強定向動力。警車轉入一條空蕩蕩的公路，隨即猛然加速。

「丹尼爾。」他喚道。

「什麼事，以利亞？」

「法斯陀夫博士為何將他的所作所為，一五一十告訴我？」

「在我看來，以利亞，或許他希望用這種方式，讓你明白這項調查工作有多麼重要。我們不只是在偵辦一樁謀殺案，我們還在拯救太空城，同時也是在拯救人類的未來。」

貝萊冷冷地說：「我覺得與其這樣做，他還不如讓我看看犯罪現場，順便偵訊一下最先發現屍體的人。」

「我不太相信你能找到什麼新線索，以利亞，我們的調查做得相當徹底了。」

「是嗎？但你們一無所獲，既沒有找到線索，也沒發現可疑人物。」

「對，你說得對，所以答案一定在大城這端。不過嚴格說來，我們還真的鎖定過一名涉嫌人。」

「什麼？你一直沒對我提過。」

「我覺得沒這個必要，以利亞，你當然看得出有個涉嫌人近在眼前。」

「誰？你在搞什麼鬼，到底是誰？」

「唯一一位在現場的地球人，朱里斯·恩德比局長。」

第十章　午後

行駛在公路裡的警車猛然靠邊，最後停在冷冰冰的水泥牆旁。當引擎聲停止後，四周只剩下一片迫人的靜寂。

貝萊望著身旁那個機器人，大可不必地壓低聲音說：「什麼？」

等待答案的時間感覺上特別漫長。在此期間，車內只出現了一陣細微的震盪，慢慢由弱而強，達到一個小高峰後又逐漸消逝。那是另一輛有任務在身的警車，剛從後面超過他們，大概是趕去前方一英里處吧。或者，也可能是一輛消防車，正趕著去赴火神的約會。

貝萊的心思逐漸一分為二，其中一半開始關心起紐約大城「腹內」百轉千迴的公路系統，他想，不知還有沒有人對這些公路瞭若指掌。雖說無論晝夜，整個公路系統都不可能有百分之百淨空的時候，但一定有某些道路已經多年無人使用。想到這裡，他突然分外清晰地憶起兒時讀到的一個短篇故事。

那個故事用倫敦的公路當背景，以一樁不怎麼起眼的謀殺案作為序幕。兇手犯案後，便準備逃往預先在公路裡覓得的藏身之處（至少有一百年，那個塵封的角落只出現過他自己的腳印）。他打算待在那個被人遺忘的小天地，安安全全地靜待風聲過去。

不料他轉錯一個彎，在死寂的彎道之間迷了路，於是他發了一個瘋狂而褻瀆的誓言：即使聖父、聖子、聖靈和所有聖徒從中作梗，他也一定要找到自己的天堂。

從那時起，他再也未曾找到正確的方向。他在無盡的迷宮中徘徊，從瀕臨海峽的布來頓區輾轉來到諾威治區，又從科芬特里區摸索到坎特柏立區。在倫敦大城的地底下，他不停地鑽來鑽去，從這頭鑽到那頭，幾乎鑽遍中古英格蘭的東南部。他的衣服成了破布，鞋子成了廢物，他的氣力越來越弱，偏偏從未真正耗盡。他很累很累，可是停不下來；雖然明知一定會走錯路，他還是只能繼續不斷向前走。

偶爾他會聽到有車子經過，但總是在隔壁車道，而且無論他跑得多快（如今他已萬分樂意向警方自首），當他衝過去之後，迎接他的總是另一條空曠的車道。有些時候，他也會看到遠方有個出口，可以讓他重新回到大城的懷抱，但他越是往前走，出口卻彷彿飄得越遠，而一旦他轉個彎，就再也看不到它了。

後來，那些為了執行公務而穿越地底的倫敦人，有時會看見一個模糊的身影，一瘸一拐、無聲無息地走過來；他們還會見到一隻半透明的手臂在揮動，一張嘴巴無聲地開開闔闔。可是隨著越走越近，它也越來越不穩定，終於消失在空氣中。

這個故事的出處早已不可考，也就是說，它已經從小說晉身為民間傳說了，而「浪遊的倫敦人」則成了舉世皆知的一個典故。

在紐約大城的地底深處，貝萊忽然想起這個故事，不禁打了一個冷顫。

機．丹尼爾終於開口：「我們可能會被竊聽。」他的聲音激起了輕微的回聲。

「在這下面？門都沒有。你說，局長到底有什麼嫌疑？」

「他當時在現場，以利亞，而且他是大城居民，所以起初有無可避免的嫌疑。」

「起初！現在他仍涉嫌嗎？」

「不了，我們很快就證明了他的清白。原因之一，他身上並沒有手銃，因為這幾乎是不可能的一件事。他是以正常方式進入太空城，這點我們相當肯定，而你也知道，手銃是一定會被扣下的。」

「對了，兇器究竟找到了沒有？」

「還沒有，以利亞，我們檢查過太空城裡每支手銃，沒有任何一支最近曾經發射過。這點，只要檢查輻射膛便能相當肯定。」

「所以說，不論兇手是誰，他要不是把兇器藏得很好……」

「絕對不會藏在太空城任何角落，我們找得相當徹底。」

貝萊不耐煩地說：「我是想要考慮所有的可能性。兇手要不是把它藏了起來，就是把它隨身帶走了。」

「完全正確。」

「而如果你只承認第二個可能性，那麼局長就是清白的。」

「沒錯。當然，為了謹慎起見，我們還是對他做了一次大腦分析。」

「什麼？」

「我所謂的大腦分析，是指對大腦細胞電磁場所做的一種解譯。」

「喔。」貝萊根本沒聽懂，「你們得到了什麼結果？」

「大腦分析能針對一個人的性格和情緒結構，提供相關的資料。就恩德比局長而言，我們因此獲知他不可能殺害薩頓博士，相當不可能。」

「對，」貝萊表示同意，「他不是那種人，這件事只要問我就行了。」

「有客觀的資料還是比較好。當然，太空城裡所有的同胞也都自願接受了大腦分析。」

「全部不可能，我想。」

「毫無疑問。因此我們才一口咬定，兇手一定是大城居民。」

「好吧，既然這樣，我們只要讓整個大城接受那個什麼分析，就能破案了。」

「那麼做非常不切實際，以利亞，可能有幾百萬人具有這樣的性格。」

「幾百萬。」貝萊喃喃道，同時想起了多年前那些高喊「骯髒太空族」的群眾，以及昨晚鞋店外面那些唯恐天下不亂的圍觀者。

他心想：可憐的朱里斯，竟然也會涉嫌！

他彷彿又聽見局長正在描述發現屍體後的情形：「現場實在太慘太慘了。」難怪他會在驚慌失措中摔壞了眼鏡，難怪他不想再去太空城。「我恨他們。」他曾咬牙切齒地這麼說。

可憐的朱里斯，其實他最懂得應付太空族；對大城而言，此人最大的價值就在於他有辦法和太空族稱兄道弟。他之所以平步青雲，這個天分到底有多少貢獻呢？

怪不得局長要貝萊接手這個案子。老好人貝萊、忠實的貝萊、守口如瓶的貝萊、大學時代的哥兒們！萬一他發現了這個小插曲，也一定不會聲張。貝萊不禁好奇大腦分析到底是如何進行的，在他的想像中，應該有大型的電極讀取腦波、有忙碌的指針在方格紙上來回畫線，還有自動調整的齒輪不時轉來轉去。

可憐的朱里斯，多虧他異於常人，才得以極力保持鎮定，沒給嚇得魂飛魄散，否則他很可能已經被迫寫好辭職信，交到了市長手中。

就在這個時候，警車轉入了市政廳的下層。

十四點三十分，貝萊回到了自己的座位。局長並不在辦公室，機．山米咧嘴一笑，表示不知道局長在哪裡。

貝萊花了些時間思考問題，並沒有注意到自己已經餓了。

到了十五點二十分，機．山米來到他的辦公桌旁，對他說：「局長回來了，利亞。」

貝萊答道：「謝謝。」

這回他並沒有被機．山米惹惱，因為機．山米畢竟和機．丹尼爾有親戚關係，而機．丹尼爾顯然不是個討厭的人——或者應該說，不是個討厭的「物件」。貝萊忍不住自問，如果在一顆新的行星上，人類和機器人重建一個大城文明，那會是什麼光景呢？他以相當理性的心情，試圖想像那種情形。

當貝萊走進局長辦公室之際，局長正在翻閱一些文件，偶爾還會提筆做些註記。

他低著頭說：「你在太空城捅的婁子可真不小啊。」

回憶隨即如潮水般湧來，舌戰法斯陀夫的場景歷歷在目。

貝萊的長臉露出一個悔恨交集的表情。「我承認我錯了，局長，我很抱歉。」

恩德比抬起頭來，雖然戴著眼鏡，他的眼神依然相當尖銳。過去三十個小時以來，此刻似乎是他最像自己的時候。「其實沒什麼大不了，法斯陀夫似乎並不介意，我們就把這件事忘了吧。真是難以捉摸啊，這些太空族。這次算你小子走運，利亞，下次如果你又想扮演獨行俠，記得一定要先跟我商量。」

貝萊點了點頭，一個無形的重擔總算卸下來了。這件事，就像是他想要當眾表演一場特技，結果失敗了，那就認了吧。他居然能這麼處之泰然，連他自己都有點驚訝，但事實就是如此。

他說：「局長，我想替丹尼爾和我自己申請一間兩人公寓，我今晚不帶他回家了。」

「這是怎麼回事？」

「他是機器人的事實早已傳了出去，你不會忘了吧？也許一切將平安無事，但是萬一發生暴動，我可不希望家人受到牽連。」

「胡說，利亞，我已經調查過了，大城裡沒有這樣的傳聞。」

「潔西就聽說了，局長。」

「嗯，或許該說只有零星的傳聞，一點也沒危險性。自從我的三維化身離開法斯陀夫的穹頂屋，我就一直在追查這件事。那正是我提早離去的原因，我當然必須查，而且越快越好。總之，報告都回來了，你自己看吧。其中有一份是桃樂絲‧吉里德的報告，她調查了大城各處共十來個女用衛生間。你也認識桃樂絲，她是個很能幹的姑娘。嗯，沒查出什麼來，各處都沒查出什麼來。」

「那麼潔西又是如何聽到傳聞的，局長？」

「這倒不難解釋，因為機‧丹尼爾昨天在鞋店裡出盡了風頭。他到底有沒有真的拔出手銃，利亞，還是你稍微誇大了些？」

「他真的拔出了手銃，而且瞄準群眾。」

恩德比局長搖了搖頭。「好吧，於是有人認出他來，我的意思是，認出他是機器人。」

「慢著，」貝萊氣呼呼地說：「誰也看不出他是機器人。」

「為什麼？」

「你有這個本事嗎？我可沒有。」

「這又能證明什麼呢？你我並不是專家。假設當時，群眾中有個溫徹斯特機器人廠的技師，一位專業人士，他這輩子都在設計和建造機器人，而他注意到機‧丹尼爾有些古怪，也許是說話的方式，也許是行為舉止，於是他起了疑心。或許後來他告訴了他太太，而她又轉告了一些朋友，然後傳聞就停止了。這種事太不可能，不會有什麼人相信的，只不過它及時傳到了潔西的耳朵。」

「或許吧。」貝萊半信半疑地說：「可是，到底能不能撥給我一間兩人住的單身套房呢？」

局長聳了聳肩，拿起室內通話器。過了好一會兒，他才說：「他們只能安排你住Q27區，那可不是什麼非常好的環境。」

「可以了。」貝萊答道。

「對了，機．丹尼爾在哪裡？」

「他在查閱我們的檔案，試圖從中找出可疑的懷古人士。」

「老天，至少好幾百萬哪。」

「我知道，但他樂在其中。」

貝萊幾乎已經走到門口，卻因一時衝動又轉過身來，問道：「局長，薩頓博士有沒有跟你提過太空城的計畫？我的意思是，關於引進碳／鐵文明的計畫？」

「引進什麼？」

「引進機器人。」

「偶爾。」局長的口氣充分顯示他對這個問題不太感興趣。

「他有沒有解釋過太空城的宗旨？」

「喔，增進健康，提高生活水平等等，都是老生常談，對我毫無吸引力。唉，總之我表示同意，不停點頭就對了。我又能怎麼做呢？還不就是盡量安撫他們，希望他們不要有太過分的念頭，或許有一天……」

貝萊等了很久，但沒有等到「或許有一天」會怎麼樣。

於是貝萊又問：「他有沒有提到任何關於移民的事？」

「移民！從來沒有。地球人想移民外圍世界，有如想在土星環找到一顆鑽石小行星。」

「我的意思是移民新的世界。」

局長卻只是以充滿懷疑的目光回應這個問題。

貝萊花了點時間揣摩這個表情，然後單刀直入地突然發問：「大腦分析呢，局長？你聽說過嗎？」

局長並未皺起那張圓嘟嘟的臉龐，連眼睛也沒有眨一下，他只是平靜地說：「沒有，那是什麼東西？」

「沒什麼，我隨便聽來的。」

他離開了局長辦公室，回到自己的座位繼續思考。當然，局長並沒有那麼好的演技，好吧，既然這樣……

十六點零五分，貝萊打電話給潔西，說他今晚不回家了，而且這種情形可能會持續好些天。他好說歹說了一陣子，她才勉強答應。

「利亞，有什麼麻煩嗎？你有危險嗎？」

警察的工作總是或多或少有些危險，他輕描淡寫地如此解釋。可是她並不滿意，又問：「你要住哪裡呢？」

他並未回答這個問題。「如果你今晚覺得孤單，」他說：「就去住你媽媽那兒吧。」說完這句話，他冷不防收了線，也許長痛不如短痛吧。

十六點二十分，他打了另一通電話到華盛頓，花了很長的時間才接通他要找的人，然後又花了幾乎相同的時間，才說服對方明天該飛來紐約一趟。十六點四十分，他終於完成這件事。

十六點五十五分，局長下班了，經過貝萊身邊的時候，還擠出一個含糊的笑容。然後，日班的同仁一哄而散，值晚班和大夜班的同仁則陸續出現，每個人都難掩驚訝地和他打招呼。

機．丹尼爾抱著一捆紙，來到了他的座位。

「那是什麼？」貝萊問。

「一份名單，裡面的男男女女都有可能是懷古組織的成員。」

「名單裡有多少人？」

「超過一百萬，」機．丹尼爾說：「這裡只是一部分而已。」

「你打算全部查證一遍嗎，丹尼爾？」

「那顯然是不切實際的作法，以利亞。」

「你可知道，丹尼爾，至少就某些方面而言，幾乎所有的地球人都是懷古人士，包括局長、潔西和我。你看看局長的——」他差點說出「眼鏡」兩字，突然想起地球人一定要團結，而局長的面子一定要保護好（在此「面子」可說是雙關語），於是他勉強改口說：「眼飾。」

「對，」機．丹尼爾說：「我注意到了，可是我怕不禮貌，所以一直沒提。我在大城其他居民身上，都沒見過這種飾物。」

「那是一種非常老式的首飾。」

「它有任何作用嗎？」

貝萊突然轉移話題：「你是如何取得這份名單的？」

「是一台機器幫我做出來的。很簡單，你只要設定好某種犯罪形式，其餘工作交給它就行了。我要它找出過去二十五年來，每一樁有關機器人的違法事件，而另一台機器負責以同樣的年限，掃瞄大城所有的報紙，找出每一個針對機器人或太空族發表過反對言論的人。很難相信三小時內就完工了，它甚至還將過世的人從名單中自動剔除。」

「你會覺得難以置信？你們外圍世界當然有電腦吧？」

「那還用說，各式各樣的都有，而且非常先進。話說回來，它們都比不上這裡的電腦那麼龐大和複雜。你當然不會忘記，即使是最大的外圍世界，人口數也幾乎比不上你們的一個大城，太複雜的電腦對我們根本沒用。」

貝萊問：「你曾經到過奧羅拉嗎？」

「沒有，」機．丹尼爾說：「我是在地球上組裝的。」

「那麼你對外圍世界的電腦為何如此瞭解？」

「答案其實很明顯，以利亞夥伴，我腦中的資料直接取自薩頓博士的記憶，它理所當然富含外圍世界的內容。」

「我懂了。你能吃東西嗎，丹尼爾？」

「我使用核動力，我以為你早就知道了。」

「這點我百分之百瞭解。我不是問你需不需要吃東西，我是問你能不能吃——能不能把食物放進嘴裡，嚼爛之後吞下去。想要模仿人類，我認為這是很重要的一環。」

「我懂你的意思了。可以，我可以進行咀嚼和吞嚥的機械動作。不過，我的容量當然頗為有限，凡是吞下去的東西，遲早需要從我的所謂『胃部』清出來。」

「好吧，今晚回到宿舍後，你大可悄悄地『反芻』或清理那些食物。總之，重點是我現在餓了，他媽的，我連中飯都忘了吃。我要你陪我去吃晚餐，但如果你光是坐在那裡，一定會惹人注目的，所以我很高興知道你也能進食，咱們走吧！」

無論在大城哪個角落，社區食堂都是同一個模樣。更有甚者，貝萊曾經出差到華盛頓、多倫多、洛杉磯、倫敦和布達佩斯，卻從未發現不同模樣的社區食堂。或許在中古時代，就像當時的語言一樣，不同的地區有不同的食物，因而食堂也各有特色。時至今日，從上海到塔什干，從溫尼伯到布宜諾賽利斯，各地的酵母食品都如出一轍；另一方面，現在的「英語」恐怕也不是莎士比亞或邱吉爾所用的英語，而是通行各大洲的一種大雜燴語言，甚至在外圍世界，也只是版本稍有不同而已。

相較於語言和食物，各地食堂的相似程度只有更高，比方說，所有的食堂都毫無例外，充斥著一種無以名之的獨特氣味，只能稱為「食堂味」。此外，食堂外面隨時可見三排隊伍緩緩前進，在入口處逐漸匯集，然後又分成左、中、右三排。食堂裡面則能聽到各種人為的噪音，包括說話聲、腳步聲，以及餐具碰撞的刺耳聲響；放眼望去，則一律是打磨得亮亮的仿木裝潢、晶瑩剔透的玻璃、長長的餐桌，而空氣中還瀰漫著些許蒸汽。

貝萊在隊伍中慢慢向前走（無論怎樣錯開大眾的用餐時間，幾乎還是無法避免人人至少等上十分鐘），心中突然浮現一個疑問。「你會笑嗎？」他問機．丹尼爾。

機．丹尼爾正全神貫注地凝視著食堂裡面，他隨口答道：「可否請你再講一遍，以利亞。」

「我只是好奇，丹尼爾，你到底會不會笑？」他小聲說。

機．丹尼爾隨即展露笑容，那是個既突兀又驚人的舉動，他的嘴唇向後拉，嘴角的皮膚皺了起來。然而，這個笑容僅限於嘴巴，除此之外，這機器人的臉部毫無變化。

貝萊搖了搖頭。「別為難了，機．丹尼爾，這種表情毫無用處。」

他們終於來到入口處，排隊的人一個接一個將金屬製的餐卡刷過掃瞄槽，卡答、卡答、卡答……

曾經有人做過計算，一個運作順暢的食堂，每分鐘能夠放二百人進來，並完成每張餐卡的掃瞄，以杜絕換食堂、換梯次或寅吃卯糧之類的行為。此外也有人算過，等候用餐的隊伍到底應該多長，才能達到最高的效率；如果有人需要特別的服務，又會浪費其他人多少時間。

因此，如果有人突然脫隊，打亂流暢的卡答卡答，一定會引起一場大混亂。此時貝萊和機・丹尼爾就成了這樣的人，他們為了將特許證交給食堂的主管，不得不走到人工服務窗口。

擔任過助理營養師的潔西，曾經對貝萊解釋過這個道理。

「這會搞得我們人仰馬翻。」她說：「特許證會打亂消耗量和庫存量的紀錄，這就代表需要特別清點一次。我們必須將手中的單子和其他食堂一一核對，以確定不會偏離收支平衡太遠，希望你瞭解我的意思。我們每週要製作一張收支平衡表，如果出了什麼錯，有了超支的情形，一定會歸咎到我們頭上。總之，亂發特許證給親朋好友的大城政府絕對沒錯，唉，真受不了。每當我們宣布不得不暫停自由選餐，你想想，排隊的民眾難道不會鼓譟嗎？最後背黑鍋的，總是櫃台後面的服務人員……」

貝萊早已將潔西這番話背得滾瓜爛熟，所以這時他相當清楚窗口後面那張晚娘面孔是怎麼回事。那女員工匆匆記下相關資料：原社區、職業、換食堂的原因（「公務需要」真是個令人非常惱恨卻無法拒絕的理由）。然後，她用誇張的動作將那張單子對折，塞入一個狹縫，電腦立即開始讀取並消化那些資料。

接下來，她轉向機・丹尼爾。

貝萊毫不留情地說出她最不想聽到的答案：「我的朋友是外城人。」

看來那女子的火氣終於全面爆發了，她說：「有勞告知哪個大城。」

貝萊再次替丹尼爾擋下這個問題。「公務需要，無須細表，每餐記到警局帳上即可。」

那女子抬起手來用力一抓，手中便多了一本單據，然後，她熟練地用右手的食、中兩指按出暗光碼，填好了必要的資料。

她又問：「你們要在這裡吃多久？」

「由上級決定。」貝萊答道。

「在這裡按指紋。」她將資料表倒轉過來。

當機．丹尼爾伸出手指按下去的時候，貝萊僅僅擔心了一下子。不用說，他們既然為他做出整整齊齊的指頭，還鑲上光亮的指甲，當然不會忘記製作指紋。

那女子將表格取回，插入手肘邊那台永遠餵不飽的機器。機器吞下表格後，並沒有吐出任何東西，貝萊因而又鬆了一口氣。

最後，她取出兩張鮮紅色的金屬卡交給他們，這種顏色顯然代表「暫時」。

她說：「坐DF桌，不能自由選餐，我們本週有些困難。」

他們乖乖走向DF桌。

機．丹尼爾說：「據我所知，你的同胞幾乎每天都在這種食堂用餐。」

「沒錯，這是當然的，但在陌生的食堂用餐是件相當可怕的事，周圍沒有一個你認識的人。尤其在你自己的食堂，情況就大不相同，你可以坐在自己的固定座位，身邊不是家人就是朋友。尤其小時候，走進食堂是一天裡最愉快的一件事。」貝萊沉浸在回憶中，不禁露出微笑。

DF桌顯然和周圍幾桌一樣，專門保留給「差旅客」使用。凡是坐在那一區的人，個個不自在地盯著自己的盤子，彼此並沒有交談。不過，他們不時會偷偷抬起頭來，以羨慕的目光望著鄰區那些有說有笑的人。

貝萊心想，再也沒有比在外區吃飯更不舒服的事了。有句老話說得好，無論怎樣粗陋，自家食堂都沒得比——甚至食物都特別好吃，雖然已有無數的化學家指天發誓，即使你到了約翰尼斯堡，吃到的仍是完全一樣的食物。

他選了一個板凳坐下，機．丹尼爾跟著坐到他身旁。

「不能自由選餐。」貝萊一面說，一面搖搖手指，「所以只要按下那個開關，就等著上菜吧。」

兩分鐘後，桌面上一塊碟形區域滑向一旁，一個餐盤升了上來。

「洋芋泥、酵母牛肉醬，還有燜杏仁。唉，好吧。」貝萊說。

這張桌子中間有一道矮欄，將長長的桌面一分為二。這時，矮欄左右兩端各冒出一把叉子和兩片全酵母麵包。

機．丹尼爾壓低聲音說：「如果你想吃我這一份，儘管自己動手。」

一時之間，貝萊只感到一陣錯愕。但他隨即想通了，喃喃道：「那樣不禮貌，你趕緊吃吧。」

貝萊吃得很用心，只可惜無法放鬆心情來享受這些食物。他偶爾會細心地瞥瞥機．丹尼爾，發現這機器人的嘴巴一開一闔，動作非常精確。問題就是太精確了，以致看來不怎麼自然。

真奇怪！一旦貝萊確定了機．丹尼爾真是機器人，各種小瑕疵一下子全顯露無遺。舉例而言，當機．丹尼爾吞嚥食物的時候，他的喉結並未隨之移動。

但是現在他並不怎麼在意了。這是否代表他逐漸習慣這玩意了呢？假設有人前往一個新世界從頭開始（這個想法，自從法斯陀夫博士灌輸給他之後，就一直在他腦袋裡打轉），假設（比方說）班特萊是其中的一份子，他是否也會逐漸習慣，因而不在乎和機器人一起工作、一起生活？有何不可呢？太空族自己早就這樣做了。

機．丹尼爾忽然說：「以利亞，別人在吃飯的時候，是不是不該盯著他看？」

「如果你是指直視著對方，那當然不禮貌。這簡直是常識，對不對？任何人都有隱私權，交談的時候當然無妨，但對方在吞嚥食物時，千萬別緊盯著人家不放。」

「我懂了。可是為什麼我算出有八個人正望著我們，而且目不轉睛？」

貝萊放下叉子，四下望了望，裝作只是在找鹽罐。「我看不出有任何異常。」

他雖然這麼說，可是自己也沒有把握。在他眼中，用餐民眾只是亂烘烘的一大群人而已。然而，當機．丹尼爾將目光轉向他的時候，貝萊忍不住開始懷疑，那對棕色眼珠根本就是兩具掃瞄儀，不但能在瞬間看清全景，而且具有高級相機的精確度。

「我相當確定。」機．丹尼爾冷靜地說。

「好吧，那又怎麼樣？雖然這是很失禮的行為，但又能證明什麼呢？」

「我答不上來，以利亞，可是這八個人當中，有六個昨晚也在那間鞋店外面，難道這只是巧合嗎？」

第十一章　脫逃

貝萊突然像抽筋般緊緊抓住叉子。

「你肯定嗎？」他自然而然脫口而出，話還沒說完，他已經瞭解這個問題毫無意義。如果是一台電腦提供答案，你絕對不會問它肯不肯定，這個道理同樣適用於擁有四肢的電腦。

機・丹尼爾說：「相當肯定！」

「他們離我們近嗎？」

「並不很近，他們散坐在各處。」

「那就好。」貝萊繼續吃他的晚餐，事實上卻只是機械地揮動著叉子。在那張皺著眉頭的長臉後面，他的腦子正在全速運轉。

假設昨晚的風波其實並非偶發事件，而是由一群狂熱的反機器人份子策劃的，那麼在這群人當中，很可能包括出於敵意而對機器人有深入研究的成員，或許其中一人當場就認出機・丹尼爾的真實身份（局長曾提到類似的可能性，媽的，他還真不簡單）。

這個推論合情合理。就算昨晚由於意想不到的變數，令他們無法採取有組織的行動，這些人還是可以擬定下一步計畫。如果他們能夠認出機・丹尼爾是機器人，一定也有辦法獲知貝萊自己是個警官。而普普通通的一名警官，絕對不會陪在一個人形機器人旁邊，這就代表貝萊極有可能是警局裡的重要人物（藉著一點後見之明，貝萊輕輕鬆鬆地一路推論到這裡）。

由此便可繼續推知，市政廳裡面的眼線（或許是大城政府的成員）一定能在不久之後便查出貝萊和機・丹尼爾的行蹤。這些人能在二十四小時內完成這件事，一點都不令人驚訝，若非貝萊今天花了很多時間在往返太空城上，他們應該更早就達成任務了。

機・丹尼爾已經吃完這一餐，他安靜地坐在那裡，一雙完美的手掌輕輕放在桌沿。

「難道我們不該有所行動嗎？」他問。

「在食堂中不會有危險。」貝萊說，「拜託，這個問題就交給我吧。」

貝萊仔仔細細環顧四周，彷彿從來沒見過這間食堂。

到處都是人，至少好幾千！一般食堂的平均容量是多少？他印象中有個數字，大概是兩千兩百吧，他想，而這間食堂還要大一些。

假設突然有人將「機器人」三個字送到空氣中，假設這三個字隨即在幾千人口中傳來傳去……

他真不曉得該怎麼比喻，不過沒關係，這種事並不會發生。

不論是在食堂、迴廊或電梯，偶發性的暴動隨時隨地都有可能爆發。或許在食堂爆發的機率更大，因為用餐時間比較無拘無束，一個稍微過分的玩笑就可能擦槍走火。

可是有計畫的暴動又另當別論了。如果發生在食堂，由於人滿為患，策劃者自己也會困在裡面。一旦發生掀桌砸盤的混亂場面，想要脫困可沒那麼容易。最後，死亡人數一定不下幾百，而他們自己也很可能包括在內。

不，若想策劃一場安全的暴動，地點必須選在大城中比較狹窄的巷道。在那種受限的空間，恐慌的情緒傳播得比較慢，如此他們便有充裕的時間，可以沿著預先選好的路線，例如側巷或是一條不起眼的上升緩運帶，迅速抵達上層，然後逃逸無蹤。

貝萊想到可能還有更多的人等在外面，頗有身陷重圍之感。他們會跟蹤貝萊和機．丹尼爾到一個合適的地點，然後再引爆一場混戰。

機．丹尼爾說：「為什麼不逮捕他們？」

「那只會讓危機提早爆發。你記住他們的臉孔了，是嗎？你不會忘掉吧？」

「我無法忘掉任何一件事。」

「那麼我們改天再抓他們。現在，我們先突破他們的包圍，跟著我，我怎麼做你就怎麼做。」

他站了起來，小心翼翼地將碟子翻個身，放到可升降的碟形區域正中央，又將叉子放回面前矮欄的凹槽。機．丹尼爾一面看，一面模仿他的動作。不久，那些餐具便消失無蹤。

機．丹尼爾說：「他們也起身了。」

「很好，我覺得他們不會太靠近我們，至少在這裡不會。」

他們兩人又開始排隊，這回是朝出口處慢慢前進，在那裡，刷卡的卡答卡答聲像時鐘般響個不停，每一個「卡答」記錄著一份配額的消失。

貝萊回頭一望，眼前一片霧濛濛的蒸汽和鬧烘烘的人群，一段往事便毫無來由地清晰浮現腦海。那是班六、七歲的時候，父子倆去逛大城動物園——不，當時班已經八歲，因為他剛過完生日。（耶和華啊！時間怎麼過得那麼快？）

那次是班頭一回去動物園，其興奮可想而知。畢竟在此之前，他從來沒有親眼見過貓狗這些動物，而更重要的是，那裡還有一座鳥園！就連貝萊自己，雖然已經逛過十餘次，仍然無法抗拒它的魅力。

任何人第一次見到許多活物在空中飛舞，都一定會感到無比震撼。而他們剛好趕上麻雀園的餵食時間，工作人員正將碾碎的燕麥倒入一條長長的飼料槽（雖然人類已經習慣了酵母食物，動物卻比人類保守，仍堅持要吃真正的穀物）。

成群的麻雀一起降落地面，看來有好幾百隻。牠們發出刺耳的唧喳聲，翅膀挨著翅膀，列隊站在飼料槽旁……

沒錯，就是它，當貝萊回過頭，對食堂投以最後一瞥時，心頭浮現的正是這個畫面。飼料槽旁邊的一大群麻雀，這個想法令他起了一陣反感。

他想：耶和華啊，一定有更好的方法吧。

但什麼才是更好的方法？現在這個方法又有什麼不好呢？他以前從來沒有為這種問題感到頭痛。

想到這裡，他突然對機．丹尼爾說：「準備好了嗎，丹尼爾？」

「準備好了，以利亞。」

他們離開了食堂，至於該如何脫逃，當然一切看貝萊的了。

有一種競賽遊戲，青少年稱之為「奔路帶」。它的規則在全球各個大城皆大同小異，一個來自舊金山的少年，可以毫無困難地參加開羅當地的奔路帶。

簡單地說，這個遊戲是要玩家利用大眾運輸系統，從甲地前往乙地，其中擔任「領導者」那個人，要盡可能甩脫所有的「追隨者」。領導者若能單獨抵達目的地，或是追隨者始終緊跟在後，都能享有技藝超群的榮耀。

這種遊戲通常選在傍晚的尖峰時間進行，藉著通勤的人潮來增加危險性和複雜度。領導者出發後，就在加速路帶之間跑來跑去，盡量做些別人意想不到的舉動，例如在某條路帶上盡可能停久一點，然後突然跳到旁邊的路帶。他也可以迅速跑過幾條路帶，然後出其不意地停下腳步。

如果追隨者不小心衝過了頭，那就很遺憾了。除非他的身手異常敏捷，否則還來不及更正錯誤，他和領導者的距離已經開始拉遠了。這時，聰明的領導者會趕緊跳到另一條路帶，以便擴大戰果。

有時候，領導者會登上捷運帶或緩運帶，然後盡快從另一邊跳下去，這麼一來，追蹤的複雜度便會增加十倍。你若完全不碰這兩種路帶就是耍賴，但在上面逗留太久同樣不行。

成年人很難體會這種遊戲的吸引力，尤其是那些自己年輕時不曾奔過路帶的人。而合法的用路人都恨透了那些玩家，所以每當近距離接觸，玩家無不趕緊逃之夭夭。此外，警察會毫不留情地對付他們，父母的處罰更是免不了。而且無論是在學校或是次乙太網路上，他們都會受到師長的責罵。根據統計，這種遊戲每年總會導致四、五個青少年死亡，數十人受傷，以及數不清的無辜路人受到程度不一的波及。

然而，奔路帶的玩家是無論如何不會消失的。遊戲越危險，玩家就能得到越大的無價獎賞——同伴們的欽佩眼光。一個成功的玩家整天神氣活現，而成名的領導者更是有如一方霸主。就拿以利亞·貝萊來說，即使到了今天，他對自己奔路帶的紀錄仍舊感到自豪。他曾經領導二十個玩家，從中央區一路奔到皇后區的邊界，途中跨過三條捷運帶。在那馬不停蹄的兩小時之間，他甩掉了幾個最頂尖的布隆克斯區玩家，最後獨自一人抵達終點。後來，這則佳話流傳了好幾個月。

當然，如今貝萊已經四十幾歲，已有二十多年沒奔過路帶，但他多少還記得一些技巧。雖然身手不再那麼矯捷，但他可以截長補短，別忘了他是一名警務人員。只有像他這樣經驗豐富的警察，才有可能對這座大城瞭若指掌，連每條巷道的頭尾幾乎都能如數家珍。

他以俐落的步伐逐漸遠離食堂，但並沒有走得太快。一開始這幾十秒是最危險的，他隨時預期背後會有人大喊「機器人，機器人」。他一面走，一面仔細算著腳步，直到腳底終於傳來踩上加速路帶的感覺。

他停了一下，機·丹尼爾順利跟了上來。

「他們還在我們後面嗎，丹尼爾？」貝萊輕聲問道。

「是的，而且越來越近。」

「等著瞧吧。」貝萊信心滿滿地說。他隨即東張西望一番，在他看來，左側各條路帶上的人都在快速前進，而且離他越遠的人速度越快。雖然他這一輩子，幾乎每天都會踩上路帶好幾次，可是若說彎下膝蓋準備在上面狂奔，卻是七千多天以前的事了。昔日那種熟悉的刺激一下子湧上心頭，他的呼吸也越來越急促。

這時，他根本忘記了自己嚴禁兒子參與這種遊戲。班有一次奔路帶被他逮到，他不但沒完沒了訓了他不知多久，還威脅要將他交給警方看管。

他輕巧地、迅速地（以「安全速度」的兩倍）向更高速的路帶走去，為了對抗加速度，他將身體猛力向前傾。緩運帶在他身旁呼嘯而過，有那麼一下子，看來他好像要爬上更高的速度，不料他突然開始後退，一面忽左忽右地閃避人群，一面退向人潮越來越密的低速路帶。

最後他停下腳步，待在時速只有十五英里的路帶上。

「還有多少人跟著我們，丹尼爾？」

「只剩一個了，以利亞。」那機器人站在他旁邊，非但臉不紅氣不喘，連頭髮都依然服貼。

「他當年一定也是高手，但他跟不了多久。」

充滿自信的貝萊，此時依稀重溫了當年奔路帶的各種感受，其一是沉浸在神祕儀式中的亢奮，其二是強風吹過頭髮和臉龐的快感，其三則是似有若無的一點心驚膽跳。

「下面這招稱為『側閃』。」他壓低聲音對機．丹尼爾說。

他邁開大步，但這回是沿著一條路帶向前走，一路輕而易舉閃過循規蹈矩的用路人。他一面走，一面慢慢移到路帶的邊緣，但由於他不斷在人群中鑽動，頭部看起來始終筆直前進——這正是他的目的。

然後，他在並未停步的情況下，忽然向旁邊移動兩英寸，踏上了隔鄰的路帶。但當他盡力維持平衡時，大腿肌肉猛然一陣抽痛。

他飛快穿過一群通勤者，來到時速四十五英里的路帶。

「現在怎麼樣，丹尼爾？」他又問。

他得到一個冷靜的答案：「他仍然跟在我們後面。」

貝萊緊抿著嘴唇。看來除了利用運動平台，再也沒有別的辦法了。可是這需要極佳的協調性，如今的他或許已經力有未逮。

現在到底身在何處？他迅速地環顧四周，剛好看見B22d街飛快掠過。他趕緊心算一番，隨即展開行動。他以順暢而穩健的步伐，跨越其餘的加速路帶，最後一舉翻上捷運帶的平台。

當貝萊和機．丹尼爾爬上平台、擠過柵欄之後，迎接他們的是一群已經站得很累的男女老少，下一刻，他們的倦容不約而同轉為滿臉的憤怒。

「喂，當心。」一名女子尖叫，同時緊緊抓住帽子。

「抱歉。」貝萊氣喘吁吁地說。

他用力擠過那些人，一陣左彎右拐之後，終於從另一邊跳下去。但就在最後關頭，一名遭撞的乘客氣得猛砸他的背部，他立刻一陣踉蹌。

他拚命試圖站穩腳步，勉強跨過了路帶的邊緣，但突變的速度就像一股無形的力量，令他膝蓋著地，隨即向後一仰。

他頓時有一種恐怖的預感：一大群人撞在他身上，接著紛紛跌倒，一場混亂立即沿著路帶傳開——這就是可怕的「人形骨牌」，一次可將幾十個折手斷腳的傷患送進醫院。

好在機．丹尼爾及時捧住他的背部，然後，他便感到自己被一股超人的力量抬起來。

「謝了。」貝萊只來得及吐出這兩個字。

他又出發了，這回是以高難度的步法，一路跨越減速路帶，最後剛好讓腳步落在緩運帶的V型接點。接著他利用餘勢再度加速，一口氣跳上了緩運帶。

「他還跟著我們嗎，丹尼爾？」

「看不見了，以利亞。」

「很好。你可真是奔路帶的箇中高手，丹尼爾！哎呀，快，快！」

他們轉身登上另一條緩運帶，然後劈哩啪啦地大步越過數條路帶，對準一個出口衝過去。出口處有一扇看來屬於公家機關的大門，旁邊一名警衛及時站了起來。

貝萊亮了亮證件。「執行公務。」

他們順利走了進去。

「發電廠。」貝萊說得言簡意賅，「這樣就能切斷我們的行蹤了。」

他曾經造訪過許多發電廠，這座也包括在內，但熟悉感總是敵不過一種負面的敬畏。尤其每當想到自己的父親曾在這樣的發電廠官居要職，負面的感覺就更加強烈。想當年……

這是一座典型的發電廠，隱藏在護牆內的巨大發電機不停嗡嗡作響；空氣中瀰漫著有點刺鼻的臭氧味；處處可見沉默而嚴肅的紅色警告線，標誌著必須穿防護衣才能跨越的禁區。

在發電廠某個角落（貝萊並不清楚正確位置）每天會消耗一磅的裂變物質，而每隔一小段時日，那些俗稱「熱灰」的放射性裂變產物就會被送進鉛管，一路被空氣壓力推送到十英里外的海洋，最後躺進比海床還深半英里的人工洞穴內。貝萊有時不禁納悶，一旦那批洞穴通通填滿了，又該怎麼辦？

他板起臉孔對機．丹尼爾說：「離那些紅線遠一點。」然後，他突然想到一件事，又很不好意思地補充道：「但我想你根本不在乎。」

「你是指放射性嗎？」丹尼爾問。

「對。」

「那我可就在乎了。伽瑪輻射會破壞正子腦中的微妙平衡，它對我的影響會比對你還要快得多。」

「你的意思是它會殺死你？」

「至少我需要換個新的正子腦，由於每個正子腦都是獨一無二的，所以我會成為一個新的個體。這樣一來，就某種意義而言，現在跟你說話的丹尼爾當然死了。」

貝萊以疑惑的目光望著對方。「我從來不知道——來，走這個斜坡。」

「沒有人強調過這一點，太空城希望地球人接受機器人的特長，而不是我們的弱點。」

「那又為何告訴我？」

機．丹尼爾雙眼直視著他的人類搭檔。「你是我的夥伴，以利亞，所以最好讓你知道我的弱點和短處。」

貝萊清了清喉嚨，沒有再繼續討論這個問題。

「朝這個方向走。」過了一會兒他才開口，「再走四分之一英里，就到我們的宿舍了。」

這是一間陰森森的下等公寓，總共就一個小房間，裡面有兩張床、兩把摺椅以及一個衣櫃。此外還有一個嵌入式的次乙太螢幕，它沒有任何控制鍵，只能在固定時間播放固定的節目。屋內沒有臉盆，連未啟動的臉盆都沒有，也看不到任何烹飪乃至燒水的設備。只有一根小型垃圾處理管赤裸裸地躺在房間的一角，看來非常礙眼，毫無任何美感可言。

貝萊聳了聳肩。「就是這樣了，我想我們可以湊合。」

機．丹尼爾走到垃圾處理管旁邊，按開襯衫的接縫，露出足以亂真的結實胸膛。

「你在幹什麼？」貝萊問。

「把我吃進去的食物清理掉。如果留在體內，它很快會腐敗，我就會變得人人避之唯恐不及。」

機・丹尼爾將兩根手指仔細放在左乳下方，以特殊的手法按了幾下，他的胸部便由上而下齊中打開。他將手伸進去，從一大堆炫目的金屬零件中，抽出一個有點鼓脹的半透明薄袋。在貝萊驚恐眼神的注視下，他打開了那個袋子。

機・丹尼爾猶豫了一下，才說：「這些食物絕對乾淨，我沒有咀嚼，更沒有分泌唾液。要知道，我是利用吸力讓它通過食道，最後進入袋中，所以還可以吃。」

「沒關係，」貝萊輕聲細語道：「我不餓，你把它處理掉吧。」

根據貝萊判斷，機・丹尼爾的食物袋應該是氟碳塑料製成的。總之它對食物沒有黏性，所以輕輕一倒，裡面的東西就滑順地一點一點排進了垃圾管。真是暴殄天物，貝萊這麼想。

他坐到床邊，脫掉了襯衣，然後說：「我建議明天一大早就出門。」

「有特別的原因嗎？」

「那些『朋友』還不曉得這間宿舍的位置，至少我這麼希望。如果我們早些離開，將會安全得多。回到市政廳之後，我們趕緊檢討一下你我還能不能繼續搭檔合作。」

「你認為或許不能了？」

貝萊聳了聳肩，悶悶不樂地說：「我們可不能天天經歷這種事。」

「可是在我看來……」

鮮紅色的叫門燈號突然亮了，硬生生打斷了機・丹尼爾這句話。

貝萊躡手躡腳站起來，拔出了手銃。這時，叫門燈號又閃了一次。

他輕巧地來到門邊，將拇指按在手銃扳機上，並開啟了門上的單向窺視鏡。那窺視鏡並不怎麼高明，不但視野狹小，而且影像扭曲，但即便如此，貝萊還是清楚看出是自己的兒子班站在門口。

正當班準備再次叫門的時候，貝萊猛然打開房門，兇狠地抓住他的手腕，一把將他拉了進來。

班順勢撞在一堵牆上。上氣不接下氣的他倚著那堵牆，驚恐和疑惑的眼神久久才逐漸消退。

班使勁揉著手腕。「爸！」他用可憐兮兮的語調說：「你沒必要那樣抓我嘛。」

貝萊貼近再度緊閉的房門，透過窺視鏡往外看。但無論怎麼看，他仍看不到走廊上有任何人。

「外面有人嗎，班？」

「沒有。唉，爸，我只是來看看你是否安好。」

「我有什麼理由不好？」

「我也不知道。是媽媽啦，她哭得什麼似的，叫我一定要找到你。她還說如果我不肯來，她就自己走這一趟，那樣的話，可就不知道會發生什麼事了。她逼我來的，爸。」

貝萊問：「你是怎麼找到我的？你媽媽知道我在哪裡嗎？」

「不，她不知道，所以我打電話到你的辦公室。」

「他們告訴你的？」

父親的強烈反應令班嚇了一大跳，他壓低聲音說：「當然，他們不該告訴我嗎？」

貝萊和丹尼爾面面相覷。

貝萊懷著沉重的心情站了起來，問道：「班，你媽媽在哪裡？在公寓嗎？」

「不，我們去外婆家吃晚飯，然後就留在那兒。現在我也該回那兒去了，我的意思是，只要你沒事，爸，我就能交差了。」

「你給我待在這裡。丹尼爾，這層樓的通話器到底在哪裡，你有沒有印象？」

那機器人說：「有，但你打算走出這個房間去打電話嗎？」

「我必須這麼做，我必須和潔西取得聯絡。」

「我可否建議改派班去，這樣比較合邏輯。這件事有危險，而他的價值比較低。」

貝萊怒目而視。「什麼，你……」

他隨即想到：耶和華啊，我這是生哪門子氣？

他改用較平靜的口吻說：「這你就不懂了，丹尼爾。在人類社會中，父親通常不會派自己的兒子去冒險，即使這是合乎邏輯的決定。」

「冒險！」班用驚喜參半的聲音大叫，「發生了什麼事，爸？啊，爸？」

「沒什麼，班。聽好，這根本不關你的事，懂了嗎？準備就寢吧，我回來的時候要看到你已經上床了，聽到沒有？」

「啊，真掃興。你可以信得過我，我會守口如瓶。」

「睡覺去！」

「真掃興！」

貝萊走到那層樓的通話器旁，為了隨時能拔出手銃，他將外套掀了起來。然後，他對著話筒說出個人代號，一台位於十五英里外的電腦便開始確認他的資格。他只等了很短的時間，便獲准進行通話，這是因為便衣刑警的公務通話次數沒有任何限制。他唸出了岳母家的號碼。

通話器底部的小螢幕亮了起來，映出了她的臉孔。

他壓低聲音說：「媽，我找潔西。」

潔西一定正在等他的電話，下一刻就出現在螢幕上。貝萊望著她的臉，然後刻意將螢幕調暗。

「好啦，潔西，班在我這裡。你說，這到底是怎麼回事？」與此同時，他的雙眼還不停地東張西望。

「你還好嗎？沒什麼麻煩吧？」

「我顯然好得很，潔西，別疑神疑鬼。」

「喔，利亞，我擔心死了。」

「擔心什麼？」他兇巴巴地追問。

「你知道的，你的朋友。」

「他怎麼樣？」

「我昨夜告訴過你，會惹麻煩的。」

「你聽好了，這都是無稽之談。今晚我會把班留在這裡，你去睡覺吧，再見，親愛的。」

他收了線，做了兩次深呼吸，然後才往回走。他的臉色一片死灰，充滿憂慮和恐懼。

貝萊回到套房時，班正站在房間正中央，他已經將一片隱形眼鏡妥善地放入小吸杯，但另一片仍在他眼睛裡。

班說：「真掃興，爸，這地方到底有沒有水？奧利瓦先生說，我不能去衛生間。」

「他說得對，你不能去。把那片戴回去，班，就一夜而已，不礙事的。」

「好吧。」班戴回隱形眼鏡，放好了吸杯，然後爬上床。「乖乖，這是什麼床墊！」

貝萊對機．丹尼爾說：「我想你不介意坐一宿吧。」

「當然不介意。對了，我對班特萊眼睛上那兩片玻璃很感興趣，每個地球人都戴著這種東西嗎？」

「不，只有少數。」貝萊心不在焉地說：「例如我就不戴。」

「戴這種東西有什麼用意？」

貝萊並未回答這個問題，因為他已沉浸在自己的思緒中，那是一些令他感到不安的思緒。

燈熄了。

貝萊仍舊醒著，他隱約能聽見班的呼吸變得沉重而規律，甚至有點刺耳。當他轉過頭去，便在黑暗中逐漸看出機．丹尼爾的身形——他面向房門，一動不動地坐在椅子上。

然後他就睡著了，還做了一個夢。

他夢見身在一座核能發電廠，潔西突然掉進裂變腔，正在迅速墜落。她拚命尖叫，還伸出手來希望抓住他，可是他只能僵立在紅線之外，眼睜睜看著她在半空中無助地翻滾，她的身軀則越來越小，最後變成一個黑點。

在這個夢裡，他束手無策，而他心知肚明，把她推下去的人正是他自己。

第十二章　專家

當朱里斯．恩德比局長走進大辦公室的時候，以利亞．貝萊立刻抬起頭來，無精打采地對他點了點頭。

局長看了看時鐘，咕噥道：「千萬別告訴我，你一夜都沒走！」

貝萊答道：「放心，我不會那麼說。」

局長壓低了聲音問：「昨晚有任何麻煩嗎？」貝萊搖了搖頭。

局長接著說：「我一直在想，可以盡量將暴動的機率降到最低，如果有任何……」

貝萊語氣強硬地說：「看在老天的份上，局長，如果有什麼問題，我一定會告訴你。事實上，目前為止一切平安。」

「那就好。」局長轉身離去，走進他自己那間享有隱私的高級主管辦公室。

貝萊望著他的背影，心想：他昨夜一定沒有再失眠。

貝萊繼續埋首撰寫所謂的例行報告，用以掩飾過去兩天的真正行動。可是他剛低下頭，就覺得紙上那些字看起來又閃動又模糊。過了一會兒，他才察覺原來有個東西站在辦公桌旁，害得自己心神不寧。

他猛然抬起頭。「你要幹什麼？」

敢情又是機．山米，貝萊心想：當局長的好處可真不少，它不就是恩德比的私人僕役嗎。

機．山米帶著一成不變的蠢笑說：「局長要見你，利亞，他說馬上。」

貝萊揮了揮手。「他才見過我，告訴他，我待會兒再進去。」

機．山米又講一遍：「他說馬上。」

「好啦，好啦，滾開。」

那機器人一面後退，一面還說：「局長馬上就要見你，利亞，他說馬上。」

「耶和華啊，」貝萊咬牙切齒，「我來了，我來了。」他離開座位，朝那間象徵位高權重的辦公室走去，機．山米這才閉嘴了。

貝萊一進去便說：「他媽的，大局長，別再派那東西來找我，好不好？」

局長只是回應道：「請坐，利亞，請坐。」

貝萊坐了下來，凝視著對方。或許自己冤枉了老友朱里斯；或許昨晚他根本沒闔眼，他看起來相當疲倦。

局長輕敲著面前的一份文件。「這份記錄顯示，你曾經利用隔離波，打電話給華盛頓的傑瑞格博士。」

「沒錯，局長。」

「既然是隔離波，自然沒有通話內容記錄。你們到底講些什麼？」

「我在做些背景調查。」

「他是一位機器人學家，對嗎？」

「沒錯。」

局長努著下唇，看來活脫嘛嘴要哭的小孩子。「但目的是什麼呢？你到底在調查什麼背景？」

「我也不確定，局長。我只是有一種感覺，像這樣的案子，不妨多蒐集些有關機器人的資料。」貝萊說到這裡便閉起嘴巴，他早已打定主意，不做更詳細的說明。

「我不以為然，利亞，我可不以為然，我認為這麼做並不明智。」

「你反對的理由為何，局長？」

「這件事知道的人越少越好。」

「我自然會盡可能對他保密。」

「我還是認為這麼做並不明智。」

貝萊覺得很反感，終於失去耐心了。

他說：「你是在命令我別見他？」

「不，不，你自己看著辦。這個調查是你在主導，只不過……」

「只不過什麼？」

局長搖了搖頭。「沒什麼——喔，他在哪裡？你曉得我在說誰。」

貝萊的確曉得，他回答說：「丹尼爾還在檔案室。」

局長頓了好長一段時間，然後才說：「你該知道，我們並未取得多大的進展。」

「我們並未取得任何進展，話說回來，事情不會一成不變的。」

「那就好。」局長說，可是從他的表情看來，他並非真的這麼認為。

當貝萊回到自己的座位時，機・丹尼爾已經在那裡等他。

「你好，有些什麼收穫？」貝萊硬邦邦地說。

「我對那些檔案匆匆做完了第一遍搜尋，以利亞夥伴，我在裡面找到兩個人，他們不但昨晚試圖跟蹤我們，而且在前天的事件中，他們也出現在鞋店現場。」

「一起看看。」

機・丹尼爾將幾張僅有郵票大小的卡片放到貝萊面前，卡片上全都是密密麻麻的小圓點，這機器人又掏出一台攜帶式解碼機，將其中一張卡片插了進去。由於小圓點具有和卡片不同的導電係數，電場一旦通過卡片，隨即扭曲成特定的型樣，最後這個型樣便會以文字的形式，顯示在解碼機的（3×6）螢幕上。這些文字如果未曾轉成密碼，需要好幾張報表紙才印得出來，更重要的是，如果沒有警方的解碼機，任何人都不可能解譯這些密碼。

貝萊面無表情地瀏覽這些文字資料。第一個人是法蘭西斯・克勞沙，兩年前遭到逮捕，當時三十三歲，罪名是煽動暴亂。他是紐約酵母廠的員工，住址是某街某號，父母名叫某某某，接下來是他的頭髮和眼珠顏色、面貌特徵、教育背景、工作經歷、心理分析檔、生理狀況檔，以及其他各式各樣的資料，最後則是他的照片在罪犯資料室中的編號。

「你查過那張照片嗎？」貝萊問。

「查過了，以利亞。」

第二個人叫吉哈德·保羅，貝萊看了一眼相關資料便說：「這完全沒用。」

機·丹尼爾答道：「我確定絕對有用。如果地球上真有那麼一個組織，有本事犯下這樁謀殺案，這兩個人就是它的成員。難道這個可能性還不夠明顯嗎？難道不該偵訊他們一番嗎？」

「我們並未掌握任何證據。」

「他們曾經出現在那兩個現場，鞋店和食堂，這點不容他們否認。」

「光是這樣並不構成犯罪，況且他們可以否認，他們只要堅稱當時不在那裡即可，事情就是那麼簡單。我們要如何證明他們在說謊？」

「我看到他們了。」

「那不算證據。」貝萊兇巴巴地說：「就算真的上了法庭，也不會有人相信你能在上百萬張模糊的人臉中記住他們兩個。」

「顯然我就有這個本領。」

「好啊，那麼你不妨表明你的真實身份。一旦你這樣做，下一秒你就不是證人了。你和你的同類，地球上沒有任何法庭承認你們的法律地位。」

機·丹尼爾道：「這麼說的話，我想你是改變心意了。」

「你這話是什麼意思？」

「昨天在食堂裡，你說我們沒有必要當場行動，你說只要我能記住他們的面貌，事後隨時可以逮捕他們。」

「好吧，我當時沒想清楚。」貝萊說：「我一時鬼迷心竅，那樣根本行不通。」

「即使打心理戰也不行嗎？他們可不知道我們並未掌握合法的證據，無法證明他們就是共犯。」

貝萊繃著臉說：「聽好，我正在等華盛頓的安東尼・傑瑞格博士，他半小時內就會抵達，可不可以等他走了之後再繼續討論？可不可以？」

「我可以等。」機・丹尼爾說。

安東尼・傑瑞格是個中等身材、態度嚴謹，而且非常有禮貌的人，怎麼看他都不像是地球上最博學的機器人學家。事實上，他遲到了將近二十分鐘，因而感到相當愧疚。貝萊早已又急又氣，他鐵青著一張臉，不怎麼接受對方的道歉，只是隨便聳了聳肩，便開始確認先前預約的第四會議室，並對相關人員重申，接下來一小時無論如何不得打擾他們。然後，他就帶著傑瑞格博士和機・丹尼爾穿過走廊，爬上一個坡道，再走過一道門，最後終於抵達那間足以隔絕間諜波束的會議室。

在就座之前，貝萊還針對四面牆壁仔細檢查了一遍。他手中握著一具脈動計，在正常情況下，它只會發出穩定的嗚嗚聲，但如果隔絕體出現裂縫，哪怕只是一個小孔，脈動計的音量也會明顯減弱。他又檢查了天花板和地板，並對房門做了特別仔細的檢查，皆未發現任何異常。

傑瑞格博士淡淡一笑——他正像是那種頂多帶著一絲笑意的人。他一身的穿著極其整潔，只能用吹毛求疵四個字來形容；他的鐵灰色頭髮平整地往後梳，一張紅潤的臉龐看來剛清洗過。他的坐姿又直又挺，彷彿母親在他幼時叮嚀了太多遍，導致他的脊椎永久性僵化了。

他對貝萊說：「你把這件事弄得像如臨大敵。」

「這件事相當重要，博士。我這裡有些關於機器人的問題，或許只有你能夠提供解答。所以我們在此的談話，當然都是最高機密，會議結束後，大城政府希望你將這一切完全忘記。」說完，貝萊看了看手錶。

機器人學家臉上的笑意消失了，他說：「請容我解釋遲到的原因。」他顯然對這件事耿耿於懷，「後來我決定不搭飛機，因為我會暈機。」

「那實在太糟了。」貝萊一面說，一面放下脈動計。他剛剛完成對脈動計本身的檢查，確認功能一切正常，這才坐了下來。

「或許不該說是真的暈機，而只是會很緊張。我有輕微的空曠恐懼症，這並不算特別不正常，但多少會造成困擾，所以最後我是搭捷運來的。」

貝萊突然好奇心大發。「空曠恐懼症？」

「我好像把它說得太嚴重了。」機器人學家立刻更正，「那只是搭飛機時的一種負面感覺，你搭過飛機嗎，貝萊先生？」

「搭過幾次。」

「那麼想必你會明白我的意思。那種感覺就像被空虛包圍著，覺得……覺得和大氣只隔著一英寸的金屬，總之非常不舒服。」

「所以你決定搭乘捷運？」

「對。」

「一路從華盛頓搭到紐約？」

「嗯，我以前就這麼走過，自從『巴爾的摩—費城隧道』開通之後，這是個相當簡單的旅程。」

的確如此。貝萊自己雖然從未走過這樣的路線，但他瞭解這是絕對可行的。過去二百年來，華盛頓、巴爾的摩、費城和紐約不斷成長，到了將近兩兩相交的程度。「四城區」幾乎已經是這一段東岸的正式名稱，甚至有很多人贊成將這四個行政區合併，組成一個超級大城。貝萊卻不同意這樣做，他認為紐約大城本身已經太大，幾乎無法由一個中央政府來管理，萬一出現一座擁有五千萬人口的超級大城，它自己就會把自己壓垮。

「問題是，」傑瑞格博士繼續說：「我在費城的切斯特特區錯過了一條轉接帶，浪費了些時間。再加上申請差旅宿舍時碰到一點麻煩，最後我就遲到了。」

「別把這件事放在心上，博士。不過，你剛才的說法引起我的好奇，既然你不喜歡搭飛機，請問你會不會徒步走出大城的邊界，傑瑞格博士？」

「為什麼要那樣做？」看他的表情，這個問題嚇了他一大跳。

「這只是個假設性的問題，我並不是說你真應該那樣做。我只是想知道這個說法令你有什麼感覺，如此而已。」

「它令我感到非常不愉快。」

「假設你必須於夜間離開大城，在鄉間走上至少半英里。」

「我……我想我不會答應做這種事。」

「不論這有多麼重要嗎？」

「若是為了救我自己一命，或拯救我的家人，那麼我可能會試試……」他顯得手足無措，「我能否請問這些問題到底有什麼意義，貝萊先生？」

「我來告訴你吧。我們這裡發生了一樁重大刑案，一樁特別棘手的謀殺案，但請恕我無法提供詳情。總之，我們建立了一個理論：兇手為了犯案，一定做過我們剛才討論的那件事，也就是在半夜獨自跨越露天的鄉間。我想不通的是，什麼樣的人有這種膽量。」

傑瑞格博士打了個冷顫。「我不知道，我自己確定沒有。當然，在數千萬人口中，我想還是可以找到幾個如此膽大包天的人。」

「但你認為一般人不太可能那麼做。」

「對，確實不太可能。」

「事實上，這件案子如果有其他的解釋，其他可能成立的解釋，我們都應該考慮一番。」

傑瑞格博士顯得更不自在了，但他仍舊坐得筆直，一雙善加保養的手掌彼此交握，端端正正放在膝蓋上。「你想到了另一種可能嗎？」

「對，比方說我曾經想到，機器人可以毫無困難地跨越露天的鄉間。」

傑瑞格博士立刻站起來。「喔，親愛的貝萊先生！」

「有什麼不對？」

「你是指機器人有可能犯這種罪？」

「有何不可？」

「殺人？謀殺一名人類？」

「是的，請坐下說話，博士。」

機器人學家依言照做，然後說：「貝萊先生，我們的討論牽涉到兩種行動：跨越鄉間和謀殺。一個人可以輕易執行後者，卻很容易被前者難倒；機器人可以輕易做到前者，但是對它而言，後者是完全不可能的事。如果你想拿一個絕無可能的理論，取代一個不太可能的……」

「絕無可能是個極強烈的用詞，博士。」

「你聽說過機器人學第一法則嗎，貝萊先生？」

「當然，我甚至會背誦：機器人不得傷害人類，或因不作為而使人類受到傷害。」貝萊突然伸出手來指著那位機器人學家，然後才繼續說：「為何就不能製造不具第一法則的機器人呢？這有什麼可怕的？」

傑瑞格博士大吃一驚，隨即又傻笑幾聲。「喔，貝萊先生。」

「好啦，你到底怎麼回答？」

「不用說，貝萊先生，只要你懂得一點點機器人學，一定會知道在製造正子腦的過程中，牽涉到多麼龐大的數學和電子學。」

「我有些概念。」貝萊答道，他清楚記得曾經為了辦案而造訪一家機器人工廠，在那家工廠的書庫裡，他看到許多長卷的膠捲書，每一卷都是某個正子腦的數學分析。雖然書中都是濃縮的符號，但平均而言，若用正常速度掃瞄，每卷的瀏覽時間仍會超過一小時。而且，即使採用最嚴苛的規格，仍然不可能造出兩個完全相同的正子腦——據貝萊瞭解，那是由於海森堡測不準原理的關係——這就代表每卷書都必須附上一些附錄，來描述各種可能的變異。

好吧，這的確不簡單，貝萊不會否認這一點。

傑瑞格博士又說：「既然如此，那麼你一定瞭解，想要設計一個新型正子腦，即使只有輕微的更新，也並非一朝一夕能夠完成的。通常，需要一個中型工廠的整個研究團隊，花上至少一年的時間，這還是因為正子線路的基本理論已經標準化，可以用來當作進一步研發的基礎，否則必須投入更多得多的人力和時間。而所謂的標準基本理論，牽涉到了機器人學三大法則，其中第一法則你已經說過了，第二法則是這麼說的：『除非違背第一法則，機器人必須服從人類的命令。』而第三法則是：『在不違背第一及第二法則的情況下，機器人必須保護自己。』你明白了嗎？」

機・丹尼爾原本一直在仔細聆聽這段對話，此時突然插嘴道：「不好意思，以利亞，我想確認一下是否聽懂了傑瑞格博士的意思。你試圖說明的是，博士，若想製造一個正子腦中沒有三大法則的機器人，首先必須發展一套嶄新的基本理論，而這個工作需要很多年的時間。」

機器人學家流露出非常滿意的表情。「這正是我的意思，您是……」

貝萊等了一下，才以不著痕跡的方式介紹機・丹尼爾。「傑瑞格博士，這位是丹尼爾・奧利瓦。」

「你好，奧利瓦先生。」傑瑞格博士和丹尼爾握了握手，然後繼續說：「根據我的估計，想要在理論上發展出非阿西寧正子腦——也就是不具三大法則基本假設的正子腦——而且達到可用來製造機器人的程度，至少需要五十年的時間。」

「從來沒有人試過嗎？」貝萊問，「我的意思是，博士，機器人的發展已有幾千年的歷史，在這麼長久的歲月裡，花五十年試試又算什麼，怎麼會從未試過呢？」

「當然不算什麼。」機器人學家說：「可是沒有任何人想要做這種實驗。」

「我覺得難以置信，人類的好奇心應該是無所不包的。」

「偏偏不包含非阿西寧機器人，貝萊先生，這是因為人類懷有強烈的科學怪人情結。」

「那是什麼？」

「這個典故出自一本中古時代的小說，故事描述一個機器人反撲他的創造者。我自己並未讀過原文，但這點並不重要，我想強調的是不具第一法則的機器人根本造不出來。」

「甚至相關理論都不存在？」

「至少不在我的知識範圍之內，而我的知識，」他有點不好意思地笑了笑，「可以說相當廣博。」

「另一方面，內建第一法則的機器人就一定不能殺人？」

「絕對不能。除非是百分之百的意外，或是為了拯救其他更多的人。而在這兩種情況下，由於正子電位突然暴增，正子腦都會損壞到無法修復的程度。」

「好吧。」貝萊說：「你講的這些都是地球上的情況，對不對？」

「當然啦。」

「那麼外圍世界呢？」

傑瑞格博士的自信似乎突然打了折扣。「哎呀，貝萊先生，我不能根據自己的知識回答這個問題，可是我確定，如果外圍世界發展出非阿西寧正子腦，或是相關的數學理論，我們一定會聽說。」

「是嗎？好吧，接下來我想談談心中另一個想法，傑瑞格博士，我希望你不會見怪。」

「不會，絕對不會。」他帶著無奈的神情，先望望貝萊，又望了望機．丹尼爾，「畢竟，如果事情真有你說的那麼重要，我很樂意全力協助。」

「謝謝你，博士，我想問的是，人形機器人為何得天獨厚？我的意思是，我自己從小到大，一直把人形機器人視為理所當然，但我現在突然發覺，自己從來不知道『人形』的原因何在。為什麼機器人必須有頭顱又有四肢？為什麼它們多多少少都像人類？」

「你的意思是，它們的外形為何不像其他機械那般功能取向？」

「對，」貝萊說：「為什麼？」

傑瑞格博士淡淡一笑。「老實說，貝萊先生，你生得太晚了。在早期的機器人學文獻中，針對這個問題的討論處處可見，而且雙方爭辯得非常激烈，甚至口不擇言。如果你想對這場『功能主義對反功能主義論戰』有所瞭解，我可以推薦一個非常好的參考資料，那就是韓福所寫的《機器人學史》，其中用到的數學少之又少，我相信你會覺得那本書非常有趣。」

「我會找來看看。」貝萊耐著性子說：「此時此刻，你可否先給我一點概念？」

「主要還是經濟上的考量。聽好，貝萊先生，如果你要管理一座農場，而你眼前有兩種選擇，一是購買裝有正子腦的曳引機、裝有正子腦的收割機、裝有正子腦的鬆土機、裝有正子腦的擠奶機以及裝有正子腦的汽車等等，二是只買一個正子腦機器人，由它操縱所有的普通農機。我要提醒你，第二個選擇的花費是前者的五十到一百分之一而已。」

「可是為什麼一定要人形呢？」

「因為在整個自然界，人形是最成功的一種廣用形體。撇開神經系統和某些器官，貝萊先生，我們就並不是單一功能的動物。如果你想設計一款機器，可以做許許多多五花八門的工作，而且都做得不錯，那麼模擬人形便是最佳方案。此外，一切科技都是以人形為基礎所發展的，以汽車駕駛座為例，它之所以做成那個樣子，就是要讓人類的手腳操作起來最容易，而我們的手腳和四肢相連，四肢則和身體相連，每一部分的大小和型態都有大致的規格。就連那些最簡單的用品，例如桌子、椅子、刀子、叉子，也都是根據人類的大小規格和運作方式來設計的。因此相較之下，讓機器人模仿人類的形狀，要比徹底重新設計各種用品和工具簡單得多。」

「我懂了，這樣說有道理。那麼我想請問，博士，外圍世界的機器人學家所製造的機器人，是不是比我們的機器人更像真人？」

「我相信的確如此。」

「他們製造的機器人會不會太維妙維肖，以致在一般情況下會被誤認為人類？」

傑瑞格博士揚起眉毛思索了一番。「我想有此可能，貝萊先生。這需要投入極大的成本，可是我懷疑報酬率能有多高。」

「根據你的判斷，」貝萊毫不放鬆地繼續追問，「他們可不可能造出一個酷似人類的機器人，連你都唬得了？」

機器人學家又傻笑幾聲。「喔，親愛的貝萊先生，我不相信有這種事。事實上，機器人絕對不只外表……」

傑瑞格博士說到一半便戛然而止，然後，他慢慢轉頭望向機．丹尼爾，紅潤的臉龐突然變得毫無血色。

「喔，我的天。」他悄聲說：「喔，我的天。」

他小心翼翼伸出手來，碰了碰機．丹尼爾的臉頰。機．丹尼爾並未迴避，始終平靜地凝視著這位機器人學家。

「我的天，」傑瑞格博士的聲音幾乎透著嗚咽，「你是機器人。」

「你花了很久的時間，才發現這個事實。」貝萊冷冷地說。

「我原先完全沒料到。我從未見過這樣的機器人，外圍世界製造的嗎？」

「是的。」貝萊說。

「現在看起來就很明顯了。他的舉手投足，他的說話方式，並沒有模擬到完美的程度，貝萊先生。」

「但已經夠好了，對不對？」

「喔，太神奇了，我不相信有誰能夠一眼就看出真假。我非常感謝你，讓我有機會和他面對面，我可不可以檢查他一下？」機器人學家迫不及待地站了起來。

貝萊做了一個手勢。「請便，博士，但不是現在。要知道，那樁謀殺案優先。」

「照你這麼說，那是真的嘍？」傑瑞格博士毫不掩飾失望的神情，「我以為或許只是引我分神的幌子，看看我會被唬弄多久……」

「那並非什麼幌子，傑瑞格博士。所以請告訴我，要製造一個這麼像人的機器人，而且目的就是要令人難辨真假，是否需要讓它的大腦運作盡量接近人類？」

「當然。」

「太好了。這種人形機器人的大腦，難道不能違反第一法則嗎？或許只是設計上的無心之失？你說相關理論仍是未知的領域，我卻認為『未知』正意味著不具第一法則的正子腦有可能出現，而製造者並不清楚該避免什麼危險。」

傑瑞格博士連連搖頭。「不，不，不可能。」

「你確定嗎？我們可以先測試一下第二法則——丹尼爾，把你的手銃給我。」貝萊的目光始終未曾離開那個機器人，他的右手則偷偷地緊握自己的手銃。

機．丹尼爾輕描淡寫地說：「給你，以利亞。」隨即將手銃遞過去，並刻意讓銃柄朝前。

貝萊說：「身為便衣刑警，他絕對不能繳出手銃，可是身為機器人，他只能服從人類的命令。」

「除非，貝萊先生，」傑瑞格博士說：「他要服從的命令違反了第一法則。」

「你可知道，博士，丹尼爾曾用手銃瞄準一群手無寸鐵的民眾，而且威脅要發射？」

「可是我並未發射。」機．丹尼爾說。

「同意，但你居然會威脅人類，此舉本身就非比尋常，對不對，博士？」

傑瑞格博士咬了咬嘴唇。「我需要知道確切的詳情，否則無法驟下斷言，但聽來的確不尋常。」

「那麼，請考慮下列情況。兇案發生時，機．丹尼爾幾乎就在現場，如果排除了地球人能夠帶著兇器跨越鄉間的可能性，那麼在所有置身命案現場的人士當中，只有丹尼爾一個人有辦法藏起兇器。」

「藏起兇器？」傑瑞格博士問。

「讓我進一步解釋一下。行兇的那柄手銃下落不明，命案現場雖然經過地毯式搜查，卻怎麼找也找不到。但它絕不會化成一縷輕煙，所以只有一個地方可藏，只有那個地方，沒有人會想到也該找找。」

「哪裡，以利亞？」機·丹尼爾問。

貝萊舉起了手銃，並將銃口牢牢對準機器人的方向。

「在你肚子裡，」他說：「在你的食物袋中，丹尼爾！」

第十三章　儀器

「那並非事實。」機．丹尼爾輕聲答道。

「是嗎？我們還是讓博士來斷定吧，傑瑞格博士？」

「啊，貝萊先生？」機器人學家愣了一下。剛才，當人類警探和機器人警探對話的時候，他的目光在兩人身上跳來跳去，這時終於固定在人類身上。

「我請你來，是希望你對這個機器人做一次權威性的分析。若有必要，我可以替你申請『大城標準局』的實驗室，萬一他們那裡欠缺什麼設備，我也一定會替你找齊。我只想要一個迅速而明確的答案，任何費用或人力都在所不惜。」

說到這裡，貝萊站了起來。剛才那番話他說得心平氣和，可是他感覺得到，這後面隱藏著一股蓄勢待發的瘋狂情緒。曾有那麼片刻，他覺得自己很想掐住傑瑞格博士的脖子，硬把他的證詞給捏出來——如果那樣做真有用，他寧可放棄所有的科學。

「怎麼樣，傑瑞格博士？」他問。

傑瑞格博士發出神經質的傻笑，然後說：「親愛的貝萊先生，我並不需要什麼實驗室。」

「為什麼？」貝萊憂心忡忡地問，他緊繃著肌肉站在那裡，甚至覺得自己開始發抖。

「測試第一法則並非什麼難事。我從未做過，因為沒有必要，你瞭解吧，但這實在簡單得很。」

貝萊張開嘴巴，深深吸了一口氣，然後慢慢吐出來。「可否請你解釋一下這句話的意思？你是不是說，你可以在這裡進行測試？」

「當然可以。聽好了，貝萊先生，我給你打個比方：如果我是醫生，當有必要替病人驗血糖的時候，我需要一間生化實驗室；同理，我需要有各方面的精密設備，才能測量病人的基礎代謝率、查驗他的皮質功能，或是檢查他的基因以便確認某種先天性異常。但另一方面，我只要在他眼前揮揮手，就能確定他瞎了沒有，只要摸摸他的脈搏，就能知道他是否還活著。

「我想強調的是，有待測試的功能越重要、越基本，所需要的設備就越簡單。這個道理同樣適用於機器人，第一法則非常基本，因此它的影響無所不在；如果第一法則消失了，機器人就會出現二、三十種異常的反應。」

他邊說邊掏出一個扁平的黑色物件，展開之後，它就成了一個小型閱讀鏡。他將一個相當破舊的膠捲插進閱讀鏡插槽，然後又取出馬錶，以及一組白色的塑膠片——經過簡單組裝，就變成相當特殊的計算尺，共有三個獨立的活動標度，不過貝萊並不熟悉它上面的記號。

傑瑞格博士輕敲著閱讀鏡，露出淡淡的笑容，彷彿即將展開的臨床實驗令他精神振奮。

他說：「這是我的《機器人學手冊》，我到哪裡都會隨身攜帶，好像一件衣服一樣。」說完，他有點不好意思地吃吃一笑。

他將目鏡貼近眼睛，用食指輕巧地操縱控制鈕，閱讀鏡便開始忽轉忽停，忽停忽轉。

「內建的索引。」機器人學家驕傲地說，但因為閱讀鏡蓋住了他的嘴巴，聲音有點含糊不清。「我自己製作的，可以替我節省大量的時間。不過，現在這點無關緊要，對不對？讓我想想看，嗯，可否請你把椅子挪近我一點，丹尼爾。」

機．丹尼爾依言照做。剛才，當機器人學家進行準備時，他一直仔細靜觀全部的過程。

與此同時，貝萊移開了手銃。

接下來一連串的發展，卻令貝萊既困惑又失望。傑瑞格博士問了好些似乎毫無意義的問題，又做了好些似乎毫無意義的動作，但他偶爾也會停下來，用用他的三重計算尺，或是看看閱讀鏡。

例如，其中一個問題是：「如果我有兩個表親，兩人相差五歲，年輕的是表妹，那麼另一個是男生還是女生？」

丹尼爾鄭重其事地回答（貝萊覺得根本多此一舉）：「根據既有資料無法判定。」

聽到這樣的答案，傑瑞格博士除了瞥一眼馬錶，唯一的反應就是將右手盡量向外伸，然後說：「可否請你用左手第三根指頭的指尖，碰碰我的中指指尖？」

丹尼爾立刻輕鬆地做出這個動作。

傑瑞格博士頂多花了十五分鐘，就完成了所有的測試。他默默地用計算尺做了最後一個計算，隨即三下兩下將它拆解。然後他收好馬錶，再從閱讀鏡中抽出《機器人學手冊》，並將閱讀鏡折疊起來。

「都做完了嗎？」貝萊皺著眉頭問。

「都做完了。」

「但這實在太荒謬了。你所問的問題，沒有半個和第一法則有關。」

「喔，我親愛的貝萊先生，如果醫生用橡膠槌輕敲你的膝蓋，難道你不相信這樣就能測試你是否得到某種退化性神經病變嗎？如果醫生仔細檢查你的眼睛，測試虹膜對光線的反應，然後斷定你可能對某些生物鹼上癮，難道你也會感到驚訝嗎？」

貝萊說：「好吧，怎麼樣？你的診斷如何？」

「丹尼爾配備了完整的第一法則！」機器人學家毫不猶豫地拚命點頭。

「你一定搞錯了。」貝萊粗聲說。

然而，貝萊做夢也想不到，傑瑞格博士的腰桿竟然能挺得比平常更直，但他顯然做到了，同時他還瞇起眼睛，射出憤怒的目光。

「你是在教我該怎麼做嗎？」

「我並非暗示你能力不足。」貝萊做了一個請聽我說的手勢，「可是難道你不可能犯錯嗎？你自己說過，誰也不瞭解非阿西寧機器人的理論。讓我打個比方，其實盲人也能閱讀，只不過讀的是點字書或有聲書，假如你不曉得這兩種書的存在，難道你不會因為某人知道某本書的內容，便錯誤地一口咬定他視力良好嗎？」

「好的，」機器人學家又恢復了和顏悅色，「我懂你的意思了。可是話說回來，我就繼續用你的比喻吧，盲人還是無法用眼睛閱讀，而我測試的正是這一點。請相信我，姑且不論非阿西寧機器人能做什麼或不能做什麼，我還是肯定機·丹尼爾配備了第一法則。」

「他回答問題時就不能作假嗎？」貝萊心知肚明，自己是在做困獸鬥。

「當然不能，這正是機器人和人類的差別。不論是人類或是任何哺乳類的大腦，都無法用現有的數學方法進行完整的分析，因此沒有任何大腦反應是百分之百確定的。反之，機器人的正子腦卻是可以完整分析的，否則根本造不出來，這就代表我們對於哪個刺激會導致哪個反應一清二楚，所以機器人絕對無法在答案上作假。你所謂的『作假』這件事，根本不存在於機器人的意識中。」

「那麼我們來談談實例吧，機·丹尼爾曾經拿手銃指著一群人類，當時我在場，是我親眼看見的。即使他不曾發射，難道說第一法則就不會起一點作用，例如令他神經失常？但答案竟是否定的，要知道，事後他仍然百分之百正常。」

機器人學家摸了摸下巴，露出遲疑的神色。「這點的確反常。」

「一點也不反常，」機·丹尼爾突然開口，「以利亞夥伴，可否請你檢查一下從我手中拿走的手銃？」

貝萊低頭望了望握在自己左手的那柄致命武器。

「打開銃膛，」機·丹尼爾催促道：「仔細看看。」

貝萊權衡了一下風險，然後慢慢將自己的手銃放到桌上，再以迅速的動作打開另一柄手銃。

「是空的。」他茫然道。

「裡面根本沒有電囊。」機．丹尼爾附和道，「如果你檢查得更仔細，會發現裡面從未裝過電囊。事實上，這柄手銃並沒有擊發器，根本就不能使用。」

貝萊說：「你用一柄不能發射的手銃指著群眾？」

「我必須有一柄手銃，否則無法扮演便衣刑警。」機．丹尼爾說：「可是帶著一柄真槍實彈的手銃，會有意外傷人的可能，這種事當然萬萬不可發生。當時我就想要解釋，但你在氣頭上，硬是不肯聽我說。」

貝萊悵然若有所失地望著那柄形同廢鐵的手銃，低聲說：「我想就到此為止吧，傑瑞格博士，感謝你的熱心協助。」

貝萊訂了一份午餐，可是送來之後（酵母胡桃蛋糕，以及一片相當厚實的炸雞，下面還墊著脆餅）他卻只能盯著這盤食物發呆。

他腦海中的思潮翻騰不已，長臉上蝕刻著深深的憂鬱。

他彷彿活在一個不真實的世界，一個殘酷且混沌不已的世界。

這一切究竟是如何發生的？如今回顧，自從踏進朱里斯．恩德比的辦公室，開始和謀殺案以及機器人糾纏不清那一刻起，他就像是陷入一場迷離夢境之中。

耶和華啊！才不過是五十個小時之前的事。

他曾堅定不移地在太空城中尋找答案，甚至兩度指控機．丹尼爾是兇手，第一次認為他是人類假扮的，第二次雖然承認丹尼爾真是機器人，仍舊認為他涉有重嫌。可是無論哪一次，最後的結果都是他自己灰頭土臉。

現在他終於被迫轉向了，他心不甘、情不願地將心思轉回大城（打從昨夜起，他一直不敢朝這個方向想）。某些問題不斷地敲打他的意識，可是他不想聽，他覺得自己做不到。萬一聽見了，他就不得不回答，喔，天哪，他實在不想面對那些答案。

「利亞！利亞！」突然有人猛搖貝萊的肩膀。

貝萊立刻驚醒，問道：「什麼事，菲力普？」

C5級便衣刑警菲力普．諾瑞斯坐了下來，他將兩隻手放在膝蓋上，身體向前傾，以便仔細審視貝萊的臉。「你到底是怎麼回事？最近被人下了藥嗎？你就這麼睜大眼睛坐在這裡，我差點以為你真的死了。」

他摸摸自己逐漸稀疏且褪色的金髮，一對鼠眼緊盯著貝萊始終未動的午餐。「雞肉！」他說：「這年頭想吃雞肉，非得弄個醫師處方不可。」

「吃點吧。」貝萊無精打采地說。

諾瑞斯天人交戰一番，然後說：「喔，不了，我馬上就要出去用餐，你留著自己吃吧——對了，你最近和頭兒進展如何？」

「你說什麼？」

諾瑞斯設法表現得從容，但他的雙手卻背叛了自己。他說：「少裝蒜，你知道我的意思，自從他回來之後，你就和他形影不離。到底怎麼回事？要升官了嗎？」

貝萊皺起眉頭，這種辦公室政治令他覺得又回到了現實世界。諾瑞斯和自己年資差不多，當然要夙夜匪懈地注意貝萊是否受到上級的青睞。

貝萊說：「絕無此事，請相信我，一切純屬空穴來風，空穴來風。如果你那麼喜歡局長，我倒希望可以把他送給你。耶和華啊！把他拿走吧！」

諾瑞斯說：「可別誤會我，我並不在乎你升不升官。我只是想說，如果你和頭兒關係不錯，何妨拉那孩子一把？」

「什麼孩子？」

這個問題其實多此一舉，因為就在這個時候，文森・巴瑞特——那個被機・山米取而代之的年輕人——從一個不起眼的角落慢慢走了過來。只見他心慌意亂地不停轉動著手裡的帽子，雖然他也試著擠出一絲笑容，卻只牽動了高聳顴骨上的皮膚。

「午安，貝萊先生。」

「喔，午安，文森，最近好嗎？」

「不太好，貝萊先生。」

文森如饑似渴地四處張望，貝萊心想：他看來簡直失魂落魄，半死不活——這就是遭到解雇的下場。

然後他又毫不留情地想到（而且差點脫口而出）：可是他到底希望我做些什麼呢？

結果他只是說：「很遺憾，孩子。」除此之外，他又能說什麼呢？

「我一直在想——也許有了什麼轉機。」

諾瑞斯湊近貝萊的耳朵，低聲說：「這種事不能再發生了，一定要有人挺身而出，如今連陳洛也要被趕走了。」

「什麼？」

「你沒聽說嗎？」

「沒有，媽的，他是個C3，至少有十年的資歷。」

「我同意，怎奈一台有腿的機器就能做他的工作。下一個會是誰呢？」

文森・巴瑞特一直沉浸在自己的思緒中，這時他突然喚道：「貝萊先生？」

「什麼事，文森？」

「你聽過一則傳聞嗎？他們說黎娜・米蘭——那個次乙太節目的舞者——是一個機器人。」

「一派胡言。」

「是嗎？他們說有人能將機器人造得和人類一模一樣，外表披著一種特製的塑質皮膚。」

貝萊立刻聯想到機・丹尼爾，不禁一陣心虛，再也說不出話來，只好搖了搖頭。

年輕人又說：「如果我四處走走，你想會不會有人介意？看看熟悉的老地方，我會覺得舒坦些。」

「去吧，孩子。」

年輕人走開了，貝萊和諾瑞斯目送他一程，然後諾瑞斯才說：「看來懷古份子似乎說對了。」

「你是指回歸大地？是嗎，菲力普？」

「不，我是指機器人這件事。回歸大地，哈！咱地球的未來希望無窮。但我們並不需要機器人，絕不需要。」

貝萊喃喃道：「地球擁有八十億人口，但眼看鈾要用完了！有什麼好希望無窮的？」

「萬一鈾真用完了，我們可以進口啊，或者我們可能發現另一種核能。人類總是有辦法找到出路的，利亞。這方面你一定要樂觀，要對咱人類的大腦有信心。我們最偉大的資產就是足智多謀，這可是取之不盡、用之不竭的，利亞。」

他相當陶醉在自己的言論中，繼續滔滔不絕：「比方說，我們可以利用太陽能，這就能夠撐上幾十億年。我們可以在水星軌道上建造太空站，當作能量收集器，然後利用定向波束把能量傳回地球。」

貝萊早就聽過這個計畫，那些紙上談兵的前衛科學家，至少已經花了一百五十年在探討這種想法。它之所以無法跳脫理論層次，乃是由於目前為止，誰也無法將波束壓縮得足夠緊緻，好讓它走過五千萬英里卻仍不會散開。貝萊根據記憶，將上述事實稍微說了說。

諾瑞斯說：「真有需要的時候，就一定做得到，何必擔心呢？」

貝萊腦海中忽然浮現一個能源無窮無盡的地球，人口可以不斷增加，酵母農場可以一直擴充，水耕農業也可以一直強化。既然能源不虞匱乏，礦物可以取自太陽系的無人天體；如果淡水有所短缺，則能從木星的衛星運來補給。還有，可以將地球的海洋冷凍，然後一塊塊拖到太空去，讓那些冰球像小衛星般繞著地球轉；它們會永遠待在那裡，隨時可以再取回來。一旦海床暴露在外，就等於變出許多可以開發、可以居住的陸地。甚至地球上的二氧化碳和氧氣含量，亦能藉由土衛六的甲烷大氣和天衛二的凍氧來維持和調節。

如此一來，地球上的人口便能增加到一兩兆。有何不可呢？過去曾經有人認為，如今的八十億人口是絕對不可能的事；甚至還曾經有人認為，十億人口就已經難以想像了。自從中古時代以來，幾乎每個世代都會出現馬爾薩斯學派的末日預言，而事實總是證明那只是杞人憂天。

可是法斯陀夫又會怎麼說呢？一個擁有一兆人口的世界？當然有可能！然而，它的空氣和淡水都需要仰賴進口，能源則需要由五千萬英里外的「倉庫」來提供，那會是個多麼不穩定的狀況。地球距離全面瓦解仍舊只有一線之隔，只要這個「泛太陽系機制」任何一環出了一丁點問題，就會導致地球萬劫不復。

貝萊說：「我自己認為，還是把多餘的人口運走些比較容易。」這句話，與其說是在回應諾瑞斯，不如說他是在回應自己心中所勾勒的圖像。

「誰會要我們呢？」諾瑞斯酸溜溜地說。

「任何尚未住人的行星。」

諾瑞斯站了起來，拍拍貝萊的肩膀。「利亞，你的迷藥一定還沒退，多吃點雞肉，早些恢復正常吧。」他帶著咯咯的笑聲走了。

貝萊望著他的背影，冷冷地揚起嘴角。諾瑞斯會開始散布這個消息，接下來幾個星期，辦公室裡那些碎嘴的同事（每間辦公室都有這種人）可有得聊了。但這麼一來，至少他可以暫時擺脫文森、機器人和解雇這些話題。

他嘆了一口氣，拿起叉子刺向一塊已經冷掉而且有點硬的雞肉。

貝萊吃完最後一塊蛋糕的時候，丹尼爾剛好離開（當天早上才分發到的）辦公座位，朝這個方向走過來。

貝萊不太自在地望著他。「怎麼樣？」

機．丹尼爾說：「局長不在自己的辦公室，也不知道什麼時候回來。我已經交代機．山米，我們要借用那間辦公室，除了局長本人，不准他放任何人進來。」

「我們借用來做什麼？」

「開一次祕密會議。我們必須開始計畫下一步行動，這點你一定同意吧。畢竟，你並不打算放棄這項調查工作，對不對？」

其實，那正是貝萊夢寐以求的一件事，但他顯然不能說出口。他站了起來，帶頭向恩德比的辦公室走去。

進了辦公室，貝萊立刻說：「好吧，丹尼爾，到底怎麼回事？」

那機器人答道：「以利亞夥伴，打從昨夜起，你就魂不守舍，我發現你的精神氛圍起了明顯的變化。」

貝萊心中冒出一個極可怕的念頭，隨即大叫：「你會讀心術？」

若非此時心亂如麻，他也不會想到這種可能性。

「不，當然沒有。」機．丹尼爾說。

貝萊總算不那麼驚慌了，他又問：「那麼你所謂的精神氛圍又是什麼鬼東西？」

「我只是借用這個名詞，來描述一種你並未透露的感覺。」

「什麼感覺？」

「這並不好解釋，以利亞。但你應該記得，我原本的功能是幫助太空城的同胞研究地球人的心理。」

「對，我知道。你只是加裝了一組正義線路，就搖身一變成為警探。」貝萊並未刻意避免諷刺的口吻。

「完全正確，以利亞。但我的設計基本上保持不變，而我原本的功能是用來進行大腦分析。」

「分析人類的腦波？」

「喔，對。只要有特定的接收器，原則上就能遠距離接收，無需電極的直接接觸，而我的大腦就是這樣的接收器。難道地球人沒有使用這個原理嗎？」

貝萊不知道這個問題的答案，只好反守為攻，再度發問：「你在測量腦波的時候，會測到些什麼東西？」

「並不是思想，以利亞。我可以測到一點情緒，但最重要的是我能夠分析性格，也就是分析一個人的潛在動機和態度。舉例來說，當初只有我能確定，在那樁謀殺案發生之際，恩德比局長處於一種無法殺人的心理狀態。」

「由於你這麼說，他們便排除了他的嫌疑。」

「是的，這樣做其實很保險。就這方面而言，我是個非常精密的儀器。」

貝萊心中又冒出一個念頭。「慢著！恩德比局長並不知道他接受了大腦分析吧？」

「沒有必要讓他心裡不舒服。」

「我的意思是，你就只是站在那裡望著他，沒有動用任何儀器，沒有任何電極，也沒有指針和圖表？」

「當然都沒有，我是個自給自足的裝置。」

貝萊緊咬下唇，感到又怒又惱。這是最後一個小小的矛盾，這個碩果僅存的漏洞本來勉強還能當作箭靶，或許仍有機會將嫌疑推到太空族身上。

機．丹尼爾曾說局長接受過大腦分析，不料一小時之後，局長自己卻光明正大地否認聽過這個名詞。照理說，任何人若是在涉嫌的情況下，接受了傳統的腦波測量，腦袋上曾貼過許多電極，應該都忘不了那種駭人的經驗，更應該記得什麼叫大腦分析。

可是現在矛盾消失了，局長的確接受過大腦分析，只是他自己並不知道。機．丹尼爾所言句句屬實，而局長也並未說謊。

「好吧，」貝萊厲聲道：「我的大腦分析又是什麼結果？」

「你心神不寧。」

「這可真是個偉大的發現，啊？我當然心神不寧。」

「不過，說得更明確些，你之所以心神不寧，是因為有兩種力量正在你心中起衝突。一方面，你為了忠於自己的專業，很想深入調查昨晚那批圍攻我們的地球陰謀份子，以及他們背後的組織，可是，另一個同樣強烈的動機，卻將你朝反方向用力推。在你的大腦細胞電場中，這個趨勢顯示得一清二楚。」

「我的大腦細胞，得了吧。」貝萊氣呼呼地說：「聽著，我來告訴你為何並無必要調查你所謂的陰謀組織，因為它和那樁謀殺案毫無關係。我承認，我曾經這樣想過；昨天在食堂，我的確以為我們身陷險境。可是後來發生了什麼呢？他們跟蹤我們出來，然後很快就被我們利用路帶擺脫了，不過如此而已。如果他們是組織嚴密、視死如歸的陰謀份子，絕對不會這麼容易善罷干休。

「我兒子輕而易舉便查到了我們的住處；他只是打電話到局裡，甚至不必表明自己的身份。那些所謂的陰謀份子若想獵殺我們，大可如法炮製。」

「難道沒有嗎？」

「顯然沒有。如果他們想引發暴動，當初在鞋店就有機會，但僅僅一個人和一柄手銃，就讓他們溫馴地撤退了。而你其實是機器人，一旦他們認出你的身份，便能確定你無法使用那柄手銃。他們只是懷古份子，只是一群沒有危險的邊緣人，你並不清楚這些事，但我應該明白。要不是這一切誤導我……誤導我一個勁兒胡思亂想，我早就該明白了。

「我告訴你，我知道什麼樣的人會變成懷古份子。他們一來個性溫和，二來愛做白日夢，由於現實生活太辛苦了，於是他們沉迷在一個從未真正存在的古代理想世界中。如果你能像對一個人那樣對一個團體進行大腦分析，你會發現他們就和朱里斯・恩德比一樣不可能殺人。」

機・丹尼爾慢慢地說：「我無法照字面上的意義接受你的說法。」

「你這話什麼意思？」

「你的看法轉變得太突然，而且其中有些矛盾。昨天，你早在晚餐前幾小時，就已經安排好和傑瑞格博士的會面。當時你還不知道我有食物袋，也就不可能懷疑我是兇手。所以說，你聯絡他是為了什麼呢？」

「其實那個時候，我已經懷疑你了。」

「還有，昨夜你一邊睡覺一邊說話。」

貝萊睜大眼睛。「我說些什麼？」

「沒什麼，就是連續喊了幾聲『潔西』，我相信你是在叫你太太。」

貝萊盡量放鬆緊繃的肌肉，然後用顫抖的聲音說：「我做了一個惡夢，你知道那是什麼嗎？」

「我當然欠缺親身經驗，但根據字典上的定義，惡夢就是不好的夢境。」

「你知道什麼是做夢嗎？」

「我同樣只知道字典上的定義。當意識層面暫時中止思考，也就是在所謂的睡眠之際，如果出現類似真實的幻覺，那就是做夢。」

「幻覺，好吧，我可以接受。有些時候，幻覺還真他媽的足以亂真。嗯，我夢見我太太身陷險境，人們常常會做這種夢。於是在這種情形下，我大喊她的名字，這種事也並不罕見，你大可相信我。」

「我萬分樂意相信你。但這讓我聯想到另一個問題，潔西怎麼會發現我是機器人？」

貝萊感到自己的額頭又濕了。「我們別再捲入這個問題，好不好？傳聞……」

「抱歉我打個岔，以利亞夥伴，其實並沒有什麼傳聞。如果真有的話，整個大城早已動盪不安了。送進局裡的報告，我一一檢查過了，沒有一則提到這件事。這項傳聞根本不存在，於是問題來了，你太太是怎麼發現的？」

「耶和華啊！你到底想說什麼？你認為我太太是一名……一名……」

「是的，以利亞。」

貝萊雙手緊緊互握。「聽好，她不是，這個話題到此為止。」

「這並不像你的作風，以利亞。在辦案過程中，你曾兩度指控我是兇手。」

「所以你用這種方式報復我?」

「我不確定是否瞭解你所謂的報復是什麼意思。不用說,我贊成你對我採取懷疑的態度,你自有你的理由。這些理由很可能是對的,雖說事實不然。現在,我用來指證你太太的證據,也同樣強而有力。」

「指證她涉嫌謀殺?他媽的,潔西不會傷害任何人,哪怕是她的死敵;她也不可能走出大城,更不可能……唉,如果你是血肉之軀,我就……」

「我只是說,她是陰謀集團的一份子,我認為應該偵訊她一次。」

「休想,這輩子你都休想。你給我聽好,懷古份子並不想取我們性命,那不是他們的行事風格,但他們的確想把你趕出大城,這個企圖顯而易見。而他們用的是心理戰,他們設法讓你我的日子不好過,因為我倆已經綁在一起。他們很容易就查出潔西是我太太,於是,理所當然的下一步就是把消息洩漏給她。她和所有的地球人一樣不喜歡機器人,她絕不希望我和一個機器人合作,尤其是當她以為這是個危險任務,而他們一定會這樣暗示她。我告訴你,這招有效,她求了我一個晚上,要我放棄這個案子,或是設法把你趕出大城。」

「想必,」機.丹尼爾說:「你有非常強烈的動機要保護你太太,避免她遭到偵訊。所以在我看來,你顯然在編造些自己都不太相信的論證。」

「你以為自己是他媽的何方神聖?」貝萊咬牙切齒,「你根本不是警探,你只是個大腦分析器,和我們這兒的腦波儀差不了多少。你雖然有頭有手有腳,能說話能吃飯,但這並不代表你比大腦分析器高明一丁點。多插入一組什麼正義線路，並不能讓你成為真正的警探，所以你又知道些什麼呢？你給我閉嘴，讓我來做些設想。」

機器人心平氣和地說：「我想你最好還是放低音量，以利亞。就算我並非像你一樣是個貨真價實的警探，我還是希望提醒你注意一件小事。」

「我沒興趣聽。」

「拜託你聽聽，如果我說錯了，你可以指正我，這對你我都沒有害處。是這樣的，昨晚當你正要離開我們的宿舍，到走廊上打電話給潔西，我曾建議由你兒子代替你去，但你告訴我，在你們地球上，父親通常不會派自己的兒子去冒險，如此說來，是否母親通常就會這樣做呢？」

「不，當然……」貝萊只說到一半。

「你懂我的意思了。」機·丹尼爾說：「照常理來講，如果潔西擔心你的安危，希望能夠警告你，她會寧可拿自己的生命冒險，也不會讓兒子代勞。她派班特萊出馬這件事只有一個解釋，那就是她覺得班的安全無虞，而她自己則否。如果陰謀集團的人和潔西並不相識，上述情形就不會成立，起碼她毫無理由做這樣的設想。另一方面，如果她是陰謀集團的一份子，那麼她就會知道——以利亞，她就會知道——自己受到了監視，會被人認出來，而班特萊的行動則能神不知鬼不覺。」

「慢著，」貝萊心裡很不好受，「這種推論太薄弱了。」

其實他沒有必要叫停，因為就在這個時候，局長辦公桌上的訊號燈忽然大閃特閃。機·丹尼爾等著貝萊接聽，他卻只是茫然無助地望著閃光，最後還是由機器人按下了通話鍵。

「什麼事？」

只聽機‧山米的聲音含含糊糊地說：「有一位女士想見利亞，我說他很忙，但她不肯走，她說她叫潔西。」

「讓她進來。」機‧丹尼爾冷靜地說，同時揚了揚眉，那雙棕色眼珠隨即接觸到了貝萊驚慌失措的目光。

第十四章　名字

貝萊目瞪口呆地僵立在原處，任由潔西衝向他，抓住他的肩膀，將他緊緊摟住。

終於，他從蒼白的嘴唇吐出一個名字：「班特萊？」

她望著他，搖了搖頭，一頭棕髮也隨之甩動。「他沒事。」

「那麼你這是……」

潔西突然開始啜泣，她一面哭，一面用細不可聞的聲音說：「我憋不住了，利亞，我再也憋不住了。我吃不下、睡不著，我一定要告訴你。」

「什麼也別說，」貝萊感到痛苦萬分，「看在老天的份上，潔西，趕緊閉嘴。」

「我一定要說，我做了一件可怕的事，非常可怕的事。喔，利亞……」說到這裡，她就語無倫次了。

貝萊無可奈何地說：「這裡還有別人，潔西。」

她抬起頭瞪著機．丹尼爾，但似乎沒認出他來。此時淚水在她眼眶中氾濫，很容易將這個機器人折射成一團模糊的光影。

機．丹尼爾壓低聲音說：「午安，潔西。」

她倒抽一口氣。「這就是那……那個機器人？」

她趕緊用手背拭去淚水，並離開貝萊的懷抱。然後，她做了幾回深呼吸，嘴角還閃現一個短暫而羞怯的笑容。「真的是你，對嗎？」

「對，潔西。」

「我叫你機器人，你不會介意吧？」

「不會，潔西，這是事實。」

「那我也不介意你叫我笨蛋、白癡或……或是顛覆份子，因為這也是事實。」

「潔西！」貝萊想喝止她。

「沒有用的，利亞。」她說：「既然他是你的搭檔，還是讓他知道比較好。我再也受不了啦，從昨天開始，我就備受煎熬。我不介意去坐牢，也不介意他們把我下放到最底層，只靠生酵母和清水度日，我更不介意……但你會保護我，對不對，利亞？別讓他們懲罰我，我好……好害怕。」

貝萊輕拍她的肩膀，讓她哭個痛快。

與此同時，他對機．丹尼爾說：「她太激動，我們不能留她在這裡，現在幾點了？」

機．丹尼爾隨口答道：「十四點四十五分。」他並未望向時鐘，也沒有低頭看錶。

「局長隨時可能回來。聽好，你去調一輛警車，我們到公路裡再詳談。」

潔西猛然抬起頭。「公路？喔，不，利亞。」

他則盡可能用安撫的語調對她說：「好啦，潔西，別迷信了。你現在這樣子，根本不能搭乘捷運。乖乖聽話，冷靜下來，否則我們連大辦公室都穿不過去。我先替你弄點水來。」

稍後，她用沾濕的手帕擦了擦臉，傷心欲絕地說：「喔，你看我的化妝。」

「別擔心你的化妝了。」貝萊說：「丹尼爾，警車備好了嗎？」

「已經在等我們，以利亞夥伴。」

「走吧，潔西。」

「等等，等我一下，利亞，我一定得補補妝。」

「這根本無關緊要。」

但她還是轉過身去。「拜託，我不能這樣子穿過大辦公室，頂多一秒鐘就好。」

兩位男士只好默默等她，其中那位真人不耐煩地忽鬆忽緊攥著拳頭，機器人則未顯露任何情緒。

潔西開始翻找自己的皮包（貝萊曾經鄭重其事地宣稱，只有一樣東西，自中古時代起便抗拒科技的改良，那就是女用皮包，就連磁性接縫取代金屬扣環的嘗試都以失敗告終）。最後，她掏出一面小鏡子，以及一個鏤銀的化妝器，後者是三年前貝萊送她的生日禮物。

化妝器上有好幾個小孔，她一一輪流使用，不過看起來，只有最後一道噴霧並非無質無形。她的動作精巧，手法細膩，令人相信化妝的確是女性天生的權利，即使最緊急的情況也不例外。

她先在臉上噴一層均勻的粉底，將油光和粗糙部分都遮掩起來，同時留下淡淡的金色光暈，根據長期累積的經驗，潔西確定這種光暈最適合自己的頭髮和眼珠色澤。然後，她在前額和下巴噴了一點古銅色，又在兩頰至顴骨的部分輕輕刷上腮紅，此外，她還在眼瞼和耳垂塗了些許藍色陰影。最後，她將洋紅色的噴霧對準嘴唇，這道噴霧在半空中真正可見，彷彿是閃動著水光的粉紅霧氣，但它一旦沾上嘴唇便立刻變乾，而且顏色加深不少。

「好了，」潔西迅速拍了拍頭髮，露出非常不滿意的表情。「我想應該可以了。」

整個過程當然超過一秒鐘，但總共還不到十五秒。雖然如此，貝萊卻覺得這段時間漫無止盡。

「快走吧。」他說。

她幾乎來不及將化妝器放回皮包，就被他推出門外。

公路裡的陰森死寂壓在每個人的心頭。

貝萊說：「可以了，潔西。」

打從離開局長辦公室，潔西臉上便戴著一副泰然自若的面具，直到這個時候，那副面具才有崩裂的跡象。她帶著無助的沉默，望了望自己的丈夫，又望了望丹尼爾。

貝萊說：「打起精神來，潔西，拜託。你到底有沒有犯罪？真正犯罪？」

「犯罪？」她不確定地搖了搖頭。

「給我保持鎮定，別再歇斯底里。你只要說有沒有就行了，潔西，你可曾……」他遲疑了一下，「殺害任何人？」

潔西的表情瞬間由疑惑轉為憤怒。「你在說什麼，利亞．貝萊！」

「告訴我有沒有，潔西。」

「沒有，當然沒有。」

貝萊胸口所承受的壓力頓時消散一大半。「你有沒有偷任何東西？有沒有偽造配額數據？有沒有攻擊過任何人？毀損過任何公物？說出來，潔西。」

「我什麼都沒做——至少這些都沒做，我指的並不是這些事。」她回頭望了望，「利亞，我們有必要待在這兒嗎？」

「除非你說清楚，否則我們不走。來吧，從頭說起，你來找我們，到底是要說些什麼？」此時潔西剛好低下頭，貝萊和機．丹尼爾的目光因而短暫接觸。

潔西用輕柔的聲音開始陳述，而且越講越清楚，越講越有力。

「我要說的是關於那些人，那些懷古份子，你瞭解他們的，利亞，他們總是在你周圍，總是高談闊論。早在很久以前，我還是助理營養師的時候，情況就是那樣了。還記不記得伊莉莎白．嵩恩波？她就是個懷古份子，她總是說當今的問題全部來自大城，過去沒有大城的日子比現在好多了。

「當年，我常常問她為何那麼確定，尤其是我認識你之後——你該記得我倆做的那些討論吧——每一次，她都會從那些無所不在的懷古書籍中，引用一兩句話來回答我。你知道的，比方說《大城之恥》，我忘記作者是誰了。」

貝萊隨口說：「奧葛文斯基。」

「對，只不過相較之下，那本書算是很好的了。後來，我和你結了婚，她就變得好尖酸好刻薄，甚至說：『既然嫁了警察，我想你難免會變成真正的大城婦女。』從此以後，她就很少和我講話，不久我辭去了工作，這個插曲便告一段落。我想，她所說的那些事，大多只是為了唬我，或是為了讓自己散發神祕感和魅力。要知道，她是個老處女，一輩子沒結過婚，大多數的懷古份子或多或少都有社會適應的問題。記得嗎，利亞，你曾經說過，人們有時會將自己的問題誤以為是社會的問題；他們之所以想改造大城，只是因為不知如何改造自己。」

貝萊的確記得說過這番話，但如今自己聽來，這番話顯得輕率而膚淺。他柔聲說：「別偏離主題，潔西。」

於是她繼續說：「總之，莉莎不斷強調，總有一天我們得團結起來。她說所有的錯誤都該歸咎太空族，因為他們想讓地球一直處於衰弱和頹廢的狀態。『頹廢』是她的口頭語之一，比方說，她會盯著我規劃的下週菜單，嗤之以鼻地說：『頹廢，頹廢』。珍．邁爾曾經在廚房模仿她，我們差點沒笑死。而她——伊莉莎白——她還說，總有一天我們要摧毀大城，回歸大地的懷抱，至於那些強迫我們使用機器人、想把我們永久禁錮在大城的太空族，我們要和他們好好算個帳。只不過，她從來不用『機器人』三個字，而總是說『沒靈魂的鬼機器』。請你千萬別介意，丹尼爾。」

那機器人說：「我並不瞭解這個說法有什麼特殊含意，潔西，但無論如何，我是不會介意的，請繼續說下去。」

貝萊開始坐立不安。這就是潔西的作風，即使火燒眉睫，即使天塌下來，她還是會用那種迂迴曲折的方式繼續說故事。

只聽她說：「伊莉莎白在言談之間，總是表現得好像她有很多同黨，例如她會先說：『上次的聚會……』然後趕緊停下來，帶著又驕傲又擔憂的表情望著我，彷彿希望我的追問能突顯她的重要性，卻又擔心我會害她惹上麻煩。當然啦，我從來沒問過她，我才不要讓她稱心如意呢。

「總而言之，我們結婚之後，利亞，事情就告一段落，直到……」

她停了下來。

「繼續說，潔西。」貝萊催促道。

「你還記得我們那次的爭論嗎，利亞？我是指，關於耶洗別的爭論。」

「哪個耶洗別？」貝萊花了一兩秒鐘才恍然大悟，原來她是在說自己的名字，而不是另一個女人。

他自然而然轉向機・丹尼爾，替自己辯護道：「耶洗別是潔西原來的名字，她不喜歡，所以從來不用。」

機・丹尼爾嚴肅地點了點頭，貝萊心想：耶和華啊，我又何苦擔心他的觀感呢？

「那件事造成我很大的困擾，利亞。」潔西說：「真的，千真萬確。我猜這很傻，但我當時一直不斷在想你說的那些話，我是指關於耶洗別只能算保守派，她為了保存祖先的傳統，挺身抗拒異族帶來的陌生事物。畢竟，我也叫耶洗別，而我總是……」

她想找一個適當的詞彙，結果貝萊先想到了。「認同她？」

「對。」但她說完之後，幾乎立刻搖了搖頭，而且別過臉去。「當然，並非真的認同，並非照單全收。她在我心目中的形象你最清楚，而我自己並不是那個樣子。」

「我很清楚，潔西，你別傻了。」

「但我還是常常想到她，而且，我不得不這麼想，歷史好像又重演了。我的意思是，我們地球人擁有傳統的生活方式，太空族卻帶來許多新奇的事物，並想盡辦法讓我們接受，我們便誤入歧途了。或許懷古份子是對的，或許我們應該回歸傳統的優良方式。於是，我回過頭去找伊莉莎白。」

「好，繼續。」

「起初她說聽不懂我在講些什麼，何況我還是個條子老婆。我強調這是不相干的兩碼子事，最後她終於答應跟某人提一提。大約一個月之後，她主動告訴我通過了，於是我加入了他們，從此每次聚會我都參加。」

貝萊難過地望著她。「你卻從未告訴我？」

潔西用顫抖的聲音說：「我向你道歉，利亞。」

「唉，於事無補，我是指你的道歉。你可以將功贖罪，我需要瞭解你所謂的聚會，首先，你們在哪裡舉行？」

與此同時，一股疏離感悄悄爬上他的心頭，麻木了所有的情緒。他一直不願相信的事，如今證實竟是真的，是千真萬確，是絕對錯不了的。既然塵埃終於落定，就某方面而言，也算是一種解脫吧。

她說：「就在這裡。」

「在這裡？你是指就在這個地點？你到底是什麼意思？」

「我是指在公路裡面，所以我才不想到這兒來。不過，這是個絕佳的聚會地點，我們……」

「多少人？」

「我不確定，大約六、七十吧，我們只能算是一個地方支部。有人會負責準備摺椅和點心，而且每回都有人發表演說，大多是講過去的生活多麼美好，總有一天我們會把妖魔鬼怪通通趕走，那是指機器人，當然還有太空族。那些演講實在很無聊，總是千篇一律，但我們都能容忍，因為吸引我們的是聚會本身，以及一種肩負重任的感覺。我們會立下許多誓言，還會發明在其他場合打招呼的暗號。」

「你們從未受到干擾嗎？沒有任何警車或消防車經過？」

「從來沒有。」

機．丹尼爾打岔道：「這很不尋常嗎，以利亞？」

「也許還好。」貝萊深思熟慮之後答道，「有些支線根本從來沒人用。不過，找出這些支線並不是一件簡單的事。你們在聚會中，就只做這些事嗎，潔西？發表演說、玩玩陰謀遊戲？」

「差不多就這樣，有時還會唱唱歌。當然，總要吃吃喝喝，東西不多，通常就是三明治和果汁。」

「既然這樣，」他的口氣近乎兇狠，「現在你又擔什麼心？」

潔西心頭一凜。「你生氣了。」

「拜託，」貝萊勉強耐著性子，「回答我的問題。如果都是像這樣的平和活動，過去這一天半，你為何如此驚慌失措？」

「我認為他們會傷害你，利亞。老天啊，你為什麼偏要裝作不明白呢？我已經解釋給你聽了。」

「不，沒有，你還沒解釋。你只是告訴我，自己常常參加一種故作神祕的茶會罷了。他們有沒有舉行過公開示威？有沒有破壞過機器人？有沒有發起暴動？有沒有殺人？」

「從來沒有！利亞，我絕對不會做那些事，而他們如果想那麼做，我也絕不會留在裡面。」

「好吧，那麼你為何又說自己做了一件可怕的事？為何預料自己會坐牢？」

「嗯……嗯，他們曾經討論，總有一天要向政府施壓。他們說，我們應該組織起來，然後舉行大規模的罷工罷市；我們可以強迫政府廢止所有的機器人，並將太空族趕回他們的老家。我原本以為這只是空談，結果真的發生了，我是指你和丹尼爾這件事。於是他們開始說：『現在我們要採取行動了。』以及『我們今天要殺一儆百，讓機器人入侵成為歷史。』有人在衛生間高談闊論，雖然並不知道談論的就是你們兩人。可是我知道，立刻就知道了。」

說到這裡，她語塞了。

貝萊不禁軟化。「好啦，潔西，這些都沒什麼，的確只是空談罷了。你大可自己看看，什麼事都沒有發生。」

「我好……好害……害怕，而且我想，我也是其中的一份子。如果發生流血暴動，你就有可能遇害，班特萊也會有危險，而算來算去都是我……我的錯，我萬萬不該加入他們，所以我應該去坐牢。」

貝萊伸手摟著她的肩膀，讓她嗚嗚咽咽發洩一番，同時他緊抿著嘴望向機．丹尼爾，後者則冷靜地回望他。

他說：「聽著，我要你好好想想，潔西，誰是你們這個團體的領導？」

她現在比較平靜了，正在用手帕輕拭眼角的淚水。「領導名叫約瑟夫．克列明，但他並不是什麼了不起的人物。他身高頂多五呎四，而且我覺得他非常怕老婆。我認為他沒有任何危險性，你該不會想要抓他吧，利亞？不會只因為我的一面之詞吧？」她似乎萬分懊悔。

「我暫時還不會抓任何人。這個克列明由誰指揮？」

「我不知道。」

「有沒有任何陌生人參加過聚會？你知道我的意思：來自中央總部的大人物。」

「偶爾會有外人來演講，但並不常見，大約一年兩次吧。」

「你曉得他們的名字嗎？」

「不曉得。他們總是被稱為『我們的一份子』或是『來自傑克森高地的朋友』之類的。」

「我懂了。丹尼爾！」

「請說，以利亞。」機．丹尼爾答道。

「將你認為可疑的人物通通描述一遍，看看潔西是否認得他們。」

機．丹尼爾以極其精準的方式開始描述，詳細說明每個嫌犯的外貌特徵和背景資料，潔西卻逐漸露出沮喪的表情，而且搖頭搖得越來越堅定。

「沒有用的，沒有用的。」她喊道，「我怎麼會記得？我不可能記得他們任何一個人的長相，我不可能……」

她突然住口，似乎在思索，然後又說：「你是不是說，其中一人是酵母工？」

「法蘭西斯．克勞沙，」機．丹尼爾說：「他是紐約酵母廠的員工。」

「嗯，你知道嗎，某次有個外人來演講，我剛好坐在第一排，不斷聞到一絲生酵母的味道，真的，只有一絲絲而已，你知道我的意思。我之所以記得這件事，是因為那天我有點反胃，那種味道一直讓我感到噁心。後來我不得不站起來，換到後面的座位，但我當然無法解釋哪裡不對勁，實在非常尷尬。也許他就是你說的那個人，畢竟，當你一天到晚和酵母打交道，氣味就會黏在你的衣服上。」說著說著，她皺起了鼻子。

「你不記得他的長相吧？」貝萊問。

「不記得。」她十分肯定地回答。

「好吧，暫時這樣。聽著，潔西，我要把你送到你媽媽那兒，班特萊也會跟你一起去，你們兩人千萬不要離開那一區。班可以向學校請假，我會安排好一切，定時派人送食物給你們，還會派警察監視附近的通道。」

「你自己呢？」潔西聲音發顫。

「我不會有危險的。」

「可是這樣要多久？」

「我不知道，也許只有一兩天。」即使在他自己聽來，這句話都相當空洞。

貝萊和機・丹尼爾又回到了公路裡面，車內只剩下他們兩人。貝萊表情凝重，顯得心事重重。

「在我看來，」他說：「我們要對付的這個組織，發展出了上下兩層結構。第一層，也就是底層，只是為了替最後的行動儲備群眾，並沒有特定的計畫。第二層，則是一小群菁英份子，他們正在進行一個周密策劃的行動。我們必須找出來的正是這群菁英份子，至於潔西所說的那些只會玩家家酒的團體，可以不予理會。」

「如果潔西的故事可以照單全收，」機・丹尼爾說：「那麼我想，你說的這一切都有道理。」

「我認為，」貝萊強硬地說：「潔西的故事可以視為百分之百的實情。」

「似乎沒錯。」機・丹尼爾說：「根據她的大腦脈衝，完全看不出她有說謊的壞習慣。」

貝萊狠狠瞪了機器人一眼。「這點我敢擔保。所以，我們在報告中，並沒有必要提她的名字，你瞭解嗎？」

「如果你希望這樣做，以利亞夥伴，我沒有意見。」機・丹尼爾心平氣和地說：「但這樣一來，我們的報告會既不完整也不精確。」

貝萊說：「嗯，或許如此，但不會有什麼實質的害處。她主動來找我們，將她知道的事實和盤托出，如果我們提及她的名字，她就會有案底了，我可不希望發生這種事。」

「既然如此，當然要避免，但前提是要先確定不會再有更多的內幕。」

「不會再有什麼能牽扯到她了，我可以保證。」

「那麼可否請你解釋一下，為什麼一個名字，單單耶洗別這三個字，就能使她放棄原先的信念，然後另起爐灶？她的動機似乎令人費解。」

這時，他們正緩緩駛過空無一人的弧形隧道。

貝萊說：「這的確不容易解釋。耶洗別是個罕見的名字，偏偏在歷史上，有個惡名昭彰的女人叫做耶洗別。我太太很珍惜這個巧合，這帶給她一種虛幻的邪惡感，對她規規矩矩的生活是一種補償。」

「一個奉公守法的女子，為何需要覺得自己邪惡呢？」

貝萊差點笑出來。「女人就是女人，丹尼爾。總之，我做了一件非常愚蠢的事，我曾經在氣頭上，堅稱歷史人物耶洗別並不怎麼邪惡，甚至可說是個好妻子。對於這件事，我一直後悔不已。

「結果，」他繼續說：「我這麼做，令潔西難過得不得了，因為我毀掉了她心中一件無可取代的事物。我想後來發生的那些事，就是她對我的報復。我可以想像，她希望藉由參加那些我無法贊同的活動來懲罰我，不過，我所謂的希望並非意識層面的。」

「希望竟然可以不是意識層面的？這難道不會自相矛盾嗎？」

貝萊望著機・丹尼爾，實在懶得再對他解釋什麼是潛意識，所以他只是說：「更何況，《聖經》對人類的思想和情緒具有重大的影響力。」

「《聖經》是什麼？」

一時之間，貝萊感到相當驚訝，但隨即又對自己的驚訝感到驚訝。據他所知，太空族的人生哲學屬於標準的機械論和無神論；太空族不知道的事，機・丹尼爾當然也不知道。

他簡單地說：「是一本書，在半數地球人的心目中，它是一本神聖的經典。」

「我不瞭解『神聖』這兩個字在此作何解釋。」

「我的意思是，這本書具有崇高的地位。在適當詮釋下，它的某些篇章包含了一整套的行為準則，而許多人認為，這套準則最有可能帶給人類至高無上的幸福。」

機・丹尼爾似乎在咀嚼這番話。「這套準則有沒有融入你們的法律？」

「答案恐怕是否定的。它並不具有法律的約束力，人類必須心甘情願、自動自發地去遵循。就某種意義而言，它的層次甚至高於任何的法律。」

「高於法律？這難道不也是自相矛盾嗎？」

貝萊苦笑了一下。「要不要我引述一段《聖經》給你聽？你有沒有興趣？」

「勞駕了。」

貝萊讓車子慢慢停下來，然後閉起眼睛，花了一點時間來回憶。他很想背誦出《中古聖經》裡那些鏗鏘有力的字句，可是對機・丹尼爾而言，中古英語只是一堆無意義的音節罷了。

於是，他用接近聊天的方式，以「現代英語」講述這個故事，彷彿他並非追溯一段遠古的人類歷史，而是在轉述一則當代的新聞：

耶穌前往橄欖山，清早又回到了神殿。眾人聚集到他身邊，他就坐下來對他們傳道。不久，幾位律法專家和法利賽人帶來一名行淫時當場被捕的婦人，將她帶到他面前，然後對他說：「夫子，這婦人行淫時被逮個正著，摩西的律法要求我們用石頭打死這樣的人。你的意見如何？」

他們這麼說，是想要陷害他，用以製造控告他的藉口。耶穌卻彎下腰，用指頭在地上寫字，彷彿沒聽見他們在說什麼。當他們再次問他的時候，他站了起來，對他們說：「你們中間誰沒有罪，就先拿石頭打她。」

然後他又彎著腰在地上寫字。聽到這番話的人，受到了良心譴責，於是從最年長的開始，一個個陸續走光了。最後只剩下耶穌一人，而婦人仍站在他面前。等到耶穌站起來，發現只有她一個人，就對她說：「婦人，指控你的那些人在哪裡？沒有人定你的罪嗎？」

她說：「主啊，沒有。」

耶穌對她說：「我也不定你的罪，走吧，婦人，從此別再犯罪了。」

仔細聽完之後，機・丹尼爾問：「行淫是什麼意思？」

「那並不重要，總之她犯了一種罪，而當時公認的刑罰是石刑，也就是說，大家向犯人丟石頭，直到打死她為止。」

「那婦人真的犯了罪？」

「是的。」

「那麼她為何沒受到石刑？」

「聽完耶穌的一番話，指控她的人都覺得自己做不到。這個故事的寓意是，有些事物甚至凌駕於你腦中的那組正義之上。人類內心有一種衝動叫做慈悲，化為外在的行動則稱為寬恕。」

「我並不熟悉這兩個名詞，以利亞夥伴。」

「我曉得，」貝萊喃喃道：「我曉得。」

他突然發動了警車，令它猛力向前奔馳，後座力隨即將他緊壓在椅背上。

「我們要去哪裡？」機・丹尼爾問。

「去酵母鎮。」貝萊說：「去找那個陰謀份子法蘭西斯・克勞沙，設法讓他吐實。」

「你有辦法讓他吐實，以利亞？」

「嚴格說來，是你有辦法，丹尼爾，一個很簡單的辦法。」

警車繼續快速前進。

第十五章　逮捕

貝萊感覺得出來，酵母鎮那股氣味隱隱然越來越濃，越來越無孔不入。有些人，例如潔西，很不喜歡這種味道，但貝萊不然。反之，他甚至可說喜歡，因為它會帶來愉快的聯想。

每當他聞到生酵母的氣味，感官的神奇作用便會將他帶回三十多年前，當時他才十歲，常在波瑞斯舅舅家中作客。波瑞斯舅舅是一名酵母工，家裡總是放著一些酵母美食，例如酵母餅乾、內有糖漿的酵母巧克力、做成貓狗形狀的酵母糖果。雖然年紀很小，他已經明白波瑞斯舅舅其實不該慷他人之慨，因此他總是偷偷享用這些糖果和點心。通常他會以面壁的姿勢坐在房間的角落，而且吃得很快，以免被人逮個正著。

正因為如此，那些糖果反倒特別好吃。

可憐的波瑞斯舅舅！不久他就意外身亡了。至於確切死因為何，從來沒有人告訴過貝萊，於是他猜想舅舅是因為偷竊廠裡的酵母而遭到逮捕，進而慘遭殺害，所以他哭得格外傷心。他料想自己也會被捕，然後也會被處決。許多年後，他在警方的資料中仔細查找，才終於發現真相，波瑞斯舅舅是失足落到運輸帶下而喪命的。對於他的浪漫幻想，這個真相帶來一個幻滅的結局。

然而，每回聞到生酵母的味道，他心中總會再度浮現這個幻想，哪怕只有一時半刻。

其實，酵母鎮並非紐約大城的一個正式行政區。無論在任何地名辭典或官方地圖上，都沒有這樣一個地名。一般人所謂的酵母鎮，對郵政單位而言，只是紐瓦克區、新伯倫瑞克區和特倫頓區的統稱。它是個寬闊的帶狀區域，跨越了中古時代的紐澤西，其間點綴著一些住宅區（尤其以紐瓦克和特倫頓的市中心最為密集），但大多數的土地都開發為多層農場，用以培育和繁殖品種數以千計的酵母菌。

大城的兩千萬居民中，有五分之一在這些酵母農場工作，另有五分之一從事各種相關行業，包括：從亞利加尼山脈的原始森林中，將堆積如山的木材和粗質纖維素拖到大城裡，然後讓它們在酸液槽內水解為葡萄糖，並加入大量的硝石和磷礦粉（兩者是最重要的添加物），此外還要加入化學實驗室提供的許多有機物。最後的產物只有一樣，除了酵母還是酵母。

若是沒有酵母，地球八十億的人口當中，有六十億會在一年之內餓死。

想到這裡，貝萊感到不寒而慄。三天前，雖然這個恐怖的可能性與現在無異，可是三天前，他絕不會想到這件事。

他們從紐瓦克郊區的出口鑽出了公路，兩旁是一座又一座毫無特色的農場，巷道則稀稀疏疏，因此他們根本不必減慢速度。

「現在幾點了，丹尼爾？」貝萊問。

「十六點零五分。」機．丹尼爾答道。

「只要他上日班，這時應該還在。」

貝萊將警車停在卸貨區，鎖好了駕駛儀。

「所以這裡就是紐約酵母廠，以利亞？」機器人問。

「是它的一部分。」貝萊說。

他們走進一條兩側都有辦公室的通道，轉角處一名女接待員立刻笑臉迎人地說：「你們想找哪位？」

貝萊打開皮夾。「警察辦案。法蘭西斯．克勞沙是不是在你們紐約酵母廠工作？」

女孩顯得有些不安。「我可以查查。」

她將面前的交換機連到標示著「人事室」的線路上，然後，只見她嘴唇緩緩蠕動，卻沒有聲音傳出來。

貝萊對這種喉頭麥克風並不陌生，知道它的功能是將喉部的輕微運動直接翻譯成語音。他說：「請發出聲音來，好讓我能聽見。」

她終於出聲了，但只有最後半句話：「……他說他是警察，主任。」

一位膚色黝黑、穿著體面的男士走了出來，他留著細細的八字鬍，髮線則已經明顯後退。他帶著燦爛的笑容說：「我是人事室的普列斯考特，出了什麼問題嗎，警官？」

貝萊冷冷地瞪著他，普列斯考特的笑容開始僵化。

他說：「我只是不想打擾我們的員工，他們對警察有點敏感。」

貝萊說：「真倒楣，是嗎？克勞沙現在是否在廠裡？」

「他在，警官。」

「那就給我們一根引路棒，如果他及時離去，我會再回來找你。」

對方的笑容幾乎完全消失了。「我這就拿給你，警官。」他喃喃道。

引路棒的目標設定為CG課的第二區。至於CG在這一行的術語中代表什麼意思，貝萊並不知道，也不需要知道。所謂的引路棒，是一個可以抓在手裡、看來不怎麼起眼的裝置。當它和設定的目標成一直線的時候，棒頭就會微微發熱，反之則會迅速降溫。而當你逐漸接近目標時，溫度還會越來越高。

由於這種冷熱變化速度太快、幅度太小，因此對外行人而言，引路棒幾乎派不上用場，然而在大城居民中，卻很難找到這方面的外行。長久以來，最受孩童歡迎的遊戲之一，就是在「學校層」的通道中，利用玩具引路棒來玩躲貓貓（熱不熱，來問我；引路棒，最靈光）。

想當年，貝萊曾經利用引路棒，在上百座建築之間找到正確的路徑。甚至只要一棒在手，他就絕不會走冤枉路，彷彿引路棒能替他規劃一條捷徑。

十分鐘後，當他踏入一間燈火通明的大房間之際，棒頭幾乎已經燙手了。

貝萊對最靠近門口的工人說：「法蘭西斯．克勞沙在這裡嗎？」

那工人腦袋用力一甩，貝萊立即會意，朝他所指的方向走去。室內雖有許多不停嗡嗡作響的抽風機，酵母的氣味仍然非常刺鼻。

一名男子出現在房間的另一個角落，正在脫掉圍裙。他有著中等身材，雖然還算年輕，臉上卻有很深的皺紋，頭髮也已經稍有花白。他正在用一條纖維毛巾擦手，看得出他的手掌很大，而且指節很粗。

「我就是法蘭西斯．克勞沙。」他說。

貝萊望了機．丹尼爾一眼，機器人點了點頭。

「好的。」貝萊說：「可有方便談話的地方嗎？」

「也許有，」克勞沙慢吞吞地說：「可是我很快就要下班了，明天怎麼樣？」

「明天還早得很，夜長夢多，咱們還是現在就談吧。」貝萊打開皮夾，舉到這位酵母工面前。

但克勞沙完全沒有中斷擦手的動作，只是冷淡地說：「我不知道警察局怎麼運作，可是在這裡，用餐時間沒有任何彈性。我必須在十七點到十七點四十五分之間吃晚餐，否則就沒得吃。」

「這不成問題。」貝萊說：「我會叫人把你的晚餐送過來。」

「喔，喔。」克勞沙沒好氣地說：「簡直就像貴族了，C級條子都有這種特權嗎？還有什麼？私人浴室？」

「你只要回答問題就行了，克勞沙。」貝萊說：「把高級幽默留給你的女友吧。哪裡可以談談？」

「如果你想講話，天平室怎麼樣？你可以盡情發揮，至於我，我沒什麼好說的。」

貝萊伸出拇指一比，克勞沙便邁開腳步。天平室是個正方形的空間，整個漆成一塵不染的白色，並且擁有完全獨立（因而更有效率）的空調設備。放眼望去，牆壁上滿是排列整齊的精密電子天平，一個個都罩在玻璃罩內，只能藉由力場進行操作。貝萊在大學時代，曾經用過類似的裝置，所以一眼就認出來，其中一型連十億個原子的質量都測量得到。

克勞沙說：「我想暫時不會有人進來這裡。」

貝萊咕噥了一聲，然後轉向丹尼爾說：「可否請你去找人送晚餐來？然後，不好意思，請你留在外面接應一下。」

他目送機．丹尼爾離去，然後才對克勞沙說：「你是化學家？」

「抱歉，我是發酵學家。」

「有什麼差別？」

克勞沙顯得相當自負。「化學家只會攪攪湯汁，倒倒餿水，發酵學家則要負責養活幾十億人口。換句話說，我是酵母培養專家。」

「好吧。」貝萊說。

克勞沙卻打開了話匣子：「這間實驗室是紐約酵母廠的樞紐。每一天，甚至他媽的每個小時，我們都閒不下來，公司所有的酵母菌株都忙著在這些大鍋裡生長。我們不斷測試並調整食物需求因子，還要確定它們都繁殖得正確無誤。我們也會改造基因，發展新的品系，去蕪存菁，挑出具有特性的，再做進一步的改造。

「幾年前，紐約人開始四季都吃得到草莓，老兄，那些其實並非草莓，只是一種高糖份的酵母，它擁有如假包換的顏色，只要再加一點調味添加劑即可。這種酵母草莓正是在這間屋子發展出來的。

「二十年前，班氏油脂酵母只是一種低劣的品系，味道像豬油，一點用處也沒有。如今，它的味道雖然仍像豬油，但脂含量已經從百分之十五增加到百分之八十七。如果你今天搭過捷運，別忘了捷運所用的潤滑油正是AG7品系的班氏油脂酵母，它正是在這間屋子裡發展出來的。

「所以請別叫我化學家，我是發酵學家。」

面對著對方表現出的高傲自大，貝萊的氣勢不知不覺弱了下來。

他連忙轉變話題：「昨晚十八點到二十點之間，你在哪裡？」

克勞沙聳了聳肩。「在散步，我喜歡晚餐後散個小步。」

「有沒有拜訪朋友？或是看次乙太節目？」

「沒有，就只是散步。」

貝萊抿起嘴來。如果克勞沙去看次乙太節目，他的配額票就會有紀錄；如果他去拜訪朋友，就可以把對方找來對質一番。「所以說，沒有人看到你？」

「我不確定，也許有吧，不過我沒碰到熟人。」

「那麼前天晚上呢？」

「一樣。」

「所以說，兩個晚上你都沒有不在場證明？」

「我好端端的，警官，為何需要不在場證明？如果真犯了案，那我才需要呢。」

貝萊並未答腔，他看了看自己的筆記本，又說：「你曾經被送上法庭，罪名是煽動暴亂。」

「好吧，我告訴你，只不過是有個機字頭的擠了我一下，然後我把他絆倒了，這就是煽動暴亂嗎？」

「法庭是這麼認定的，所以你被定罪並罰款。」

「事情就這麼了了，不是嗎？難道你想要再罰我一次？」

「前天晚上，布隆克斯區的一家鞋店差點發生暴亂，有人看到你在那裡。」

「誰？」

貝萊說：「當時應該正是你的晚餐時間，前天晚上你在這裡用餐嗎？」

克勞沙遲疑了一下，然後搖了搖頭。「前天我腸胃不舒服，即使是酵母專家，偶爾也會給它弄得消化不良。」

「昨天晚上，威廉斯堡也差點發生暴亂，又有人看到你在那裡。」

「誰？」

「你否認自己出現在那兩個現場嗎？」

「你說得不清不楚，我想否認也無從否認起。這兩件事到底發生在哪裡，看到我的又是什麼人？」

貝萊直勾勾地瞪著這位發酵學家。「我想你自己心裡再明白不過。我認為，你在一個非法的懷古組織中擔任要職。」

「我不能阻止你這麼想，警官，但你的想法並不是證據，或許你也明白這一點。」克勞沙咧嘴一笑。

「或許，」貝萊的長臉則毫無表情，「我現在就能讓你說一兩句實話。」

貝萊走到天平室門口，打開房門，衝著一直等在外面的機・丹尼爾說：「克勞沙的晚餐送來了嗎？」

「馬上就到，以利亞。」

「請你送進來好嗎，丹尼爾？」

不久之後，機・丹尼爾端著一個金屬餐盤走進來。

貝萊說：「把它放到克勞沙先生面前，丹尼爾。」他在一排靠牆的板凳中挑了一張坐下，翹起二郎腿，一隻腳規律地晃來晃去。等到丹尼爾將餐盤放到這位發酵學家面前的板凳上，他注意到克勞沙的身體硬生生挪了一下。

「克勞沙先生，」貝萊說：「我替你介紹一下我的搭檔，丹尼爾・奧利瓦。」

丹尼爾伸出右手，並說：「你好，法蘭西斯。」

克勞沙並未開口，也沒有想要和丹尼爾握手的意思。丹尼爾卻一直維持那個姿勢，克勞沙不禁臉紅起來。

貝萊柔聲道：「你實在很沒禮貌，克勞沙先生，難道你驕傲得甚至不屑和警察握手嗎？」

克勞沙喃喃道：「不好意思，我餓了。」他從口袋裡掏出一柄萬用刀，從中拉出一支叉子，然後坐了下來，目光停留在那份晚餐上。

貝萊說：「丹尼爾，我想一定是你的態度太冷淡，令我們這位朋友不滿。你該不是在生他的氣吧？」

「絕無此事，以利亞。」機．丹尼爾說。

「那就用行動證明一下，把你的手臂擱到他肩膀上。」

「十分樂意。」機．丹尼爾一面說，一面向前走去。

克勞沙放下叉子。「這是怎麼回事？你們想幹什麼？」

機．丹尼爾若無其事地伸出手臂。

克勞沙反手用力一揮，打偏了機．丹尼爾的臂膀。「他媽的，別碰我。」

他猛然跳開，結果餐盤因此遭殃，噹啷一聲掉到了地板上。

貝萊冷冷地對機．丹尼爾點了點頭，後者便開始步步進逼那位不斷後退的發酵學家。與此同時，貝萊走到了門口。

克勞沙吼道：「叫那東西離我遠點。」

「你不該這麼講話。」貝萊平心靜氣地說：「他是我的搭檔。」

「他是個該死的機器人。」克勞沙尖叫道。

「讓開吧，丹尼爾。」貝萊立刻說。

機．丹尼爾向後退去，最後退到了貝萊身後，抵住房門靜靜站著。克勞沙面對著貝萊，不但氣喘吁吁，而且雙拳緊握。

貝萊說：「好啦，天才小子，你怎麼會想到丹尼爾是機器人？」

「誰都看得出來！」

「留給法官去判斷吧。此時此刻，克勞沙，我想我們要帶你回總部去。到底你是如何知道丹尼爾是機器人，我們希望你能從實招來，此外還有很多很多事，先生，需要請你解釋清楚。丹尼爾，你出去設法聯絡局長，他現在應該在家裡。告訴他盡快趕去辦公室，並且告訴他，我手裡有個人迫不及待要接受偵訊。」

機．丹尼爾走了出去。

貝萊問：「你腦子裡在轉些什麼啊，克勞沙？」

「我要律師。」

「別擔心，你會有的。此時此刻，請你先告訴我，你們這些懷古份子究竟受到什麼力量驅動？」

克勞沙轉過頭去，顯然決心保持沉默。

貝萊說：「耶和華啊，老兄，我們對你以及你的組織已經瞭若指掌，我可不是在唬人。但為了滿足我的好奇心，請你告訴我：你們這些懷古份子到底想要什麼？」

「回歸大地。」克勞沙悶聲說：「很簡單，不是嗎？」

「說來簡單，」貝萊回應道：「但是做起來可就難了。我們的大地如何供養八十億人口？」

「我只說回歸大地，有沒有說一夕之間？一年之間？或是一百年之間？一步一步來嘛，警察先生。需要多長的時間都無所謂，可是我們應該盡快走出這些鋼穴，應該盡快走進天然的環境。」

「你自己可曾走進天然的環境？」

克勞沙抓耳撓腮。「好吧，就算我也沒救了，可是孩子們還有救。每天不斷有新生兒出世，看在老天的份上，讓他們出去吧，把開放的空間、新鮮的空氣和陽光都還給他們。若有必要，我們還可以一點一點逐步減少人口。」

「換句話說，退回到一個不可逆的過去。」貝萊並不明白自己為何據理力爭，只是覺得體內燃起一股熊熊烈火。「這就好像退回到種子、退回到精卵、退回到子宮裡。為何不大步向前呢？不必減少地球的人口，只要對外輸出即可。這也算回歸大地，但卻是其他行星的大地，我是指殖民外星！」

克勞沙發出刺耳的笑聲。「製造更多的外圍世界？更多的太空族？」

「不會的。當年那些建立外圍世界的地球人，來自一個尚未出現大城的地球，他們都是個人主義者兼物質主義者，而且將這些特質發揮到了病態的極致。現在這個社會則發展出了互助的模式，雖然或許過了頭，但無論如何，我們可以利用這個模式去開拓外星。新環境和傳統可以碰撞出一個折衷的新火花，它將和古老的地球以及外圍世界都很不一樣，不但更新，而且更好。」

他明知自己是在重複法斯陀夫博士的說法，可是竟然說得流暢無比，彷彿這個觀念已在他心中孕育了許多年。

克勞沙又說：「胡扯！放棄腳下的世界而去開拓荒蕪的外星，什麼樣的傻子會如此捨近求遠？」

「很多人都會，但他們不是傻子，他們會帶著機器人當幫手。」

「不行，」克勞沙萬分激動，「絕對不行！絕對不要機器人！」

「老天啊，為什麼呢？我也不喜歡機器人，但我不會因為偏見而自我閹割。我們到底為什麼要怕機器人？如果你問我，我會猜是因為自卑感。我們——你我每一個人——都覺得自己比太空族矮一截，我們痛恨這種感覺，所以必須在另一個地方，用另一種優越感來補償。如果我們連機器人都無法瞧不起，那可就活不下去了。機器人似乎比我們優秀——但事實並不然，他媽的，這是最大的諷刺。」

貝萊越說越覺得熱血沸騰。「看看這個丹尼爾，我和他已經相處兩天了。他比我高大，比我強壯，比我英俊，事實上，他的外表活脫一個太空族。他的記憶力比我好，知道的事情比我多；他既不需要睡覺，也不需要吃喝，他更不會為各種疾病或七情六欲所苦。

「但他終究是個機器，就像這裡的微量天平，我可以對他為所欲為。如果我給微量天平一巴掌，它絕不會還手，而丹尼爾也一樣。我可以命令他舉起手銃射擊自己，而他會立刻照做。

「不論在哪一方面，我們都無法製造和人類同樣優秀的機器人，更遑論優於人類了。我們造不出一個擁有審美觀、道德感或宗教情操的機器人，我們無法讓正子腦超越完美機械裝置的層次，哪怕只有一絲一毫。

「我們做不到，只要我們還不瞭解自己的腦袋如何運作，只要還有一些事物是科學所無法測量的，他媽的，我們就做不到。什麼是美，什麼是善，什麼是藝術，什麼是愛，什麼是神？我們永遠在挑戰明明不可知的事物，永遠在嘗試瞭解不可能瞭解的問題，這正是人的本性。

「機器人的腦子必須是有限的，否則製造不出來；它的結構必須計算到最後一個小數點，否則會沒完沒了。耶和華啊，你到底在怕什麼？機器人可以貌似丹尼爾，可以貌似天神，本質上卻比一堆木頭好不到哪裡去。你難道想不通嗎？」

由於貝萊連珠砲似地滔滔不絕，克勞沙幾度企圖插嘴都失敗了。現在，貝萊的情緒發洩到了一個段落，克勞沙才理不直氣不壯地說：「條子成了哲學家，你又懂得什麼呢？」

機．丹尼爾又進來了。

貝萊望著他，不禁皺起眉頭，一半是由於餘怒未消，一半是因為他有不祥的預感。

他問：「為何去那麼久？」

機．丹尼爾說：「我一直找不到恩德比局長，以利亞，最後才發現他還在辦公室。」

貝萊看了看手錶。「這個時候？為什麼？」

「臨時有個突發狀況，局裡發現了一具屍體。」

「什麼！天哪，誰的屍體？」

「那個跑腿的機．山米。」

貝萊一時說不出話來。然後，他望著這個機器人，忿忿不平地吼道：「我以為你說有一具屍體。」

機．丹尼爾隨即做了修正：「當然你也可以說，是一個完全停擺的機器人。」

克勞沙突然哈哈大笑，貝萊立刻轉向他，粗聲道：「你給我閉嘴！聽到沒有？」他還故意亮出手銃，克勞沙果然變得非常安靜。

貝萊說：「好吧，到底怎麼回事？機．山米爆了一條保險絲，有什麼大不了？」

「恩德比局長一直閃爍其辭，以利亞，不過雖然他沒直說，我卻有一種感覺，局長相信機．山米是被人刻意弄停擺的。」

正當貝萊默默咀嚼這句話的時候，機．丹尼爾又嚴肅地補充道：「或者你也可以說，他遭到了謀殺。」

第十六章　動機

貝萊將手銃收了起來，但右手仍不著痕跡地放在銃柄上。

他說：「你在前面帶路，克勞沙，走到第十七街的B出口。」

克勞沙說：「我還沒吃飯。」

「你活該。」貝萊不耐煩地說：「誰叫你把晚餐扔到地上。」

「我有吃飯的權利。」

「你可以到拘留所再吃，或者少吃一頓也無妨。餓不死你的，走吧。」

三人開始穿越迷宮般的紐約酵母廠，誰也沒有再說什麼。克勞沙硬邦邦地走在前面，貝萊居中，而由機．丹尼爾殿後。

當克勞沙再度開口的時候，貝萊和機．丹尼爾早已辦好了簽退手續，克勞沙也請好了假，並且留話要人去清理天平室，甚至他們三人已經來到了警車旁邊。

「慢著。」克勞沙說完，隨即停下腳步，繞到機．丹尼爾身邊，在貝萊根本來不及阻止的情況下，他一個箭步衝上去，結結實實打了機器人一耳光。

「搞什麼鬼。」貝萊一面喊，一面狠狠抓住克勞沙。

克勞沙沒有做任何抵抗。「別擔心，我會跟你走，我只是要親眼看看。」他咧嘴冷笑。

機．丹尼爾心平氣和地凝視著克勞沙，剛才他雖然及時閃避，卻未能完全躲開那一巴掌。不過，看不出他臉頰上有任何紅腫或傷痕。

他說：「這是個危險的舉動，法蘭西斯。要是我沒後退，你很容易傷到手。現在這種情形，一定還是弄痛了你，我感到十分遺憾。」

克勞沙哈哈大笑起來。

貝萊說：「進去，克勞沙，你也進去，丹尼爾，和他一起坐在後座，絕不能讓他輕舉妄動，即使扭斷他的手臂我也不在乎，這是命令。」

「第一法則哪裡去了？」克勞沙嘲笑道。

「我相信憑丹尼爾的身手，足以在不傷害你的情況下把你制伏，但為了你著想，或許還是扭斷你一兩條手臂比較好。」

貝萊坐上駕駛座，警車隨即加速前進。他和克勞沙都被風吹亂了頭髮，只有機．丹尼爾的頭髮依然服貼。

機．丹尼爾輕聲細語問：「你是怕機器人搶了你的工作嗎，克勞沙先生？」

貝萊無法轉頭去看克勞沙的表情，但他可以確定，那張臉一定充分反映出嫌惡的神色，而且，他相信克勞沙會盡量坐到另一側，離機．丹尼爾越遠越好。

這時，傳來了克勞沙的聲音：「還有我的孩子，以及所有下一代的工作。」

「這當然並非無解的問題。」那機器人說：「舉例而言，如果你的子女接受移民外星的訓練……」

克勞沙插嘴道：「你也這麼說？這個警察曾經大談移民外星，想必他受過很好的機器人訓練，或許他就是機器人。」

貝萊咆哮道：「夠了，給我閉嘴！」

機．丹尼爾以平靜的口吻說：「成立移民外星的訓練機構，將會連帶提供安全、身份以及職業的保障，如果你關心你的子女，這條路值得考慮。」

「我絕不會有求於機器人、太空族或是政府馴養的任何走狗。」

這段對話到此為止，寂靜隨即吞沒了他們。空曠的公路裡，只剩下警車引擎的輕微噪音，以及輪胎摩擦路面的嘶嘶聲。

回到了警局，貝萊簽署一份拘留令，便將克勞沙移交了。辦完手續後，他隨即和機．丹尼爾搭乘電動螺旋梯前往「總部層」。

對於搭電梯不用這件事，機．丹尼爾並未表示驚訝，而貝萊也早就料到了，這兩天，他對機器人既能幹又服從的天性越來越習慣，逐漸不再將丹尼爾視為需要考慮的變數。拘留所和總部層的垂直距離很長，搭電梯才是合理的作法。反之，電動螺旋梯又慢又繞路，通常只用來上下兩三層的距離；各個行政部門的人來來去去，停留時間都不超過一分鐘。只有貝萊和機．丹尼爾兩人一直留在螺旋梯上，隨著它愣愣地、緩緩地向上爬。

事實是，貝萊覺得自己需要一點時間。雖然頂多只有幾分鐘，可是一旦抵達總部，他就會一頭栽進另一個難題之中，他想要先喘口氣，想要先整理一下思緒、轉換一下心情。因此，雖然螺旋梯走得很慢，他卻覺得還是太快了些。

機·丹尼爾說：「看來我們暫時還不會偵訊克勞沙。」

「他可以等一等。」貝萊沒好氣地說：「咱們先把機·山米那件事弄清楚。」然後他又低聲對機·丹尼爾補充道：「這不可能是獨立事件，兩者間必定有關聯。」這句話卻更像是對他自己說的。

機·丹尼爾又說：「真可惜，克勞沙的大腦特質……」

「怎麼樣？」

「有了奇怪的變化。我不在天平室的時候，你們兩人之間發生了什麼事？」

貝萊心不在焉地說：「我除了對他講道，沒有做別的事，我把法斯陀夫聖徒的福音傳給他了。」

「我不懂你在說什麼，以利亞。」

貝萊嘆了一口氣，然後說：「聽好了，我試著對他解釋地球最好能接納機器人，並將多餘的人口送到其他行星。換句話說，我試著把一些迂腐的懷古份子思想從他腦袋裡敲出來。天曉得我為何這樣做，我從來不認為自己適合傳教。總之，除此之外並未發生任何事情。」

「我懂了。嗯，這就對了，或許這樣就說得通了。告訴我，以利亞，關於機器人，你跟他說了些什麼？」

「你真想知道？我告訴他機器人其實就是機器，這句話則是傑瑞格聖徒的福音。我想，這類的福音應該不少吧。」

「你有沒有剛好告訴他，人類可以攻擊機器人，不必擔心受到反擊？因為無論任何機器，挨打都是不會還手的。」

「大概只有沙包例外吧。沒錯，我說過，你又是怎麼猜到的？」貝萊好奇地望著那機器人。

「這符合他的大腦變化，」機．丹尼爾說：「而且能解釋我們剛離開酵母廠時，他為何會給我一巴掌。他一定對你那番話念念不忘，於是打算一舉數得，一來測試你的說法，二來發洩他的情緒，三來又能享受一下地位在我之上的快感。要產生像這樣的動機，考慮到他的五次方δ變異……」

他頓了好長一段時間，然後又說：「是的，這相當有趣，現在我相信可以整理出一組自恰的完整數據了。」

總部層眼看就要到了，貝萊問：「現在幾點鐘？」

他隨即在心中埋怨自己：笨蛋，我大可自己看錶，這樣更節省時間。

話說回來，他其實知道自己為何這麼做。事實上，他的動機和克勞沙毆打機．丹尼爾差不了多少，對機器人下一個簡單的命令，看著他乖乖服從，等於是在強調自己是人類，而他只是機器人。

貝萊心想：我們都是一丘之貉，裡裡外外都沒啥兩樣，耶和華啊！

機．丹尼爾說：「二十點十分。」

他們走出了電動螺旋梯，有那麼幾秒鐘，貝萊照例有個古怪的感覺，那是人體在長時間的穩定運動突然終止後所必須進行的一種調適。

他說：「我還沒吃飯呢，真是個該死的差事。」

恩德比局長的辦公室並未關門，因此貝萊還沒走進去，就看見了局長並聽到了他的聲音。大辦公室此時空空蕩蕩，彷彿剛經歷一次大掃蕩，恩德比的聲音貫穿其中，聽起來特別空洞。由於摘下了眼鏡，他那張圓臉看來毫不設防，這時，他正一手抓著眼鏡，一手用薄紙巾擦拭油光的額頭。

正當貝萊走到門口時，他一眼瞧見了這位下屬，聲音立刻拔了一個尖。

「老天啊，貝萊，你死到哪裡去了？」他氣咻咻地埋怨。

貝萊不置可否地聳了聳肩，然後說：「怎麼回事？夜班人員都到哪裡去了？」直到這個時候，他才發現局長辦公室裡還坐著一個人。

他一頭霧水地喚道：「傑瑞格博士！」

灰髮的機器人學家微微點頭，算是回應了這聲茫茫然的招呼。「很高興又見到你，貝萊先生。」

局長戴回眼鏡，睜大眼睛瞪著貝萊。「全體人員都在樓下，或在接受偵訊，或在簽切結書。我找你快要找瘋了，你怎麼不見了呢，真搞不懂。」

「誰說我不見了！」貝萊奮力吼道。

「我說你不見了。此事一定是局裡人幹的，這回我們可要吃不完兜著走了。真是一團糟！真是他媽的一團糟！」

他舉起雙手，彷彿在祈求上蒼，就在這個時候，他的目光落到了機．丹尼爾身上。

貝萊幸災樂禍地想：這還是你頭一回和丹尼爾正面相對，好好看看他吧，朱里斯！

局長用經過克制的聲音說：「他也需要簽個切結書，連我也得簽，我耶！」

貝萊道：「我說局長，你為何那麼肯定機．山米並非自己爆了一個零件？為何一口咬定是有人蓄意破壞？」

局長一屁股坐下來。「問他。」他伸手指向傑瑞格博士。

傑瑞格博士清了清喉嚨。「我實在不知道該怎麼說，貝萊先生。從你的表情可以看出來，我的出現令你相當驚訝。」

「或多或少。」貝萊承認。

「是這樣的，我並不急於回華盛頓去，而且我不常來紐約，自然想要待久一點。更重要的是我越來越覺得，在我離開這座大城之前，至少應該再做一次努力，看看有沒有機會研究那個神奇的機器人，否則我會有罪惡感。對了，」他一副非常渴望的樣子，「我看到他又在你身邊了。」

貝萊立刻坐立不安。「這幾乎是不可能的事。」

機器人學家顯得很失望。「現在不可能，或許不久之後？」

貝萊毫無反應，他的長臉也沒有任何表情。

傑瑞格博士繼續說：「我打電話找你，可是你不在，也沒有人知道你在哪裡。後來我找到了局長，他便邀我到總部來等你。」

局長趕緊插嘴道：「我認為不該等閒視之，我知道你想見這個人。」

貝萊點了點頭。「謝了。」

傑瑞格博士又說：「不幸的是我的引路棒有些失靈，也可能是我操之過急，誤判了它的溫度。總之，我轉錯了方向，走進一個小房間……」

局長再度打岔：「他走進一間攝影器材室，利亞。」

「沒錯。」傑瑞格博士說：「結果裡面竟然有個俯臥的軀體，而且顯然是個機器人。我匆匆檢查了一下，就相當肯定他永遠停擺了，或者也可以說死了。至於他停擺的原因，其實也不難判定。」

「什麼原因？」

「那機器人的右手微微攥著，」傑瑞格博士說：「手中有個亮晶晶的卵形物體，大約兩英寸長、半英寸寬，一端有個透明的雲母片。那隻手貼近他的頭部，彷彿那就是他死前的最後一個動作。他握著的東西叫做阿爾發噴射器，我想，你應該知道那是什麼吧？」

貝萊點了點頭。想當年上物理實驗課，他曾經使用過幾個阿爾發噴射器，所以不必查字典或翻手冊，他就能詳細描述這個裝置：它外面包覆著一層鉛合金，裡面有一條長長的孔洞，洞底放置一小塊鈽鹽；洞口則蓋著一片雲母，可以讓阿爾發粒子直接穿透，所以在雲母片這一端，會源源不絕噴出硬輻射來。

阿爾發噴射器有許多用途，但不包括殺害機器人在內，至少，那不能算是它的合法用途。

貝萊說：「我猜他曾將這裝置舉到頭部，而且雲母端朝前。」

傑瑞格博士說：「對，於是他的正子腦徑路立刻被隨機化，可說是瞬間暴斃。」

貝萊轉向面色蒼白的局長。「沒搞錯嗎？真的是阿爾發噴射器？」

局長點了點頭，噘起肥嘟嘟的嘴唇。「絕對沒錯。計數器在十英尺外就能偵測到輻射，而且器材室裡的軟片通通起霧，所以毫無疑問。」

他停頓了一下，似乎在沉思這件事，然後忽然改變話題：「傑瑞格博士，只怕你得在大城裡待上一兩天，直到我們錄好你的證詞為止。我會派人護送你去休息，你不介意有人守護你吧？」

傑瑞格博士緊張兮兮地說：「你認為真有必要嗎？」

「這樣比較安全。」

傑瑞格博士開始和大家逐一握手，連機．丹尼爾也沒有放過，他似乎心事重重，握完手之後就默默離開了。

局長嘆了一口氣。「兇手就在我們之間，利亞，我頭痛的正是這一點。外人不會為了打死一個機器人而潛入警局，外面多得是機器人，而且安全得多。此外，一定是個能取得阿爾發噴射器的人，那玩意可不容易弄到手。」

機．丹尼爾突然開口：「這樁謀殺案的動機是什麼？」他用沉著而平穩的聲音切斷了局長的激動言語。

局長帶著明顯的嫌惡瞥了機．丹尼爾一眼，隨即別過頭去。「我們也是人啊，我想，警察可沒本事比其他人更喜歡機器人。現在他死了，或許某人的眼中釘也消失了。他常常惹得你火冒三丈，利亞，記得嗎？」

「這點很難成為謀殺動機。」機．丹尼爾說。

「沒錯。」貝萊斬釘截鐵地表示同意。

「這並不是謀殺。」局長說：「只是毀損財物，我們都應該慎用法律名詞。問題是這件事發生在局裡，換成別的地方就根本沒事，啥事都沒有。可是現在，卻有可能成為一級醜聞。利亞！」

「啊？」

「你最後一次看到機．山米是什麼時候？」

貝萊說：「午餐後，機．丹尼爾曾經和機．山米說話，我估計大約是十三點三十分。他們是在安排借用你的辦公室，局長。」

「我的辦公室？做什麼用？」

「我希望找個隱密的場所，以便和機・丹尼爾討論案情。你出去了，我們理所當然借用你的辦公室。」

「我懂了。」局長似乎有點懷疑，但隨即拋在腦後，「當時你自己並沒有見到他？」

「沒有，但是大約一小時之後，我還聽見他的聲音。」

「你確定是他嗎？」

「毫無疑問。」

「那時大概是十四點三十分？」

「或許還早一點。」

局長若有所思地咬著自己肥厚的下唇。「好吧，這就確定了一件事。」

「是嗎？」

「是的，那個名叫文森・巴瑞特的孩子今天來過這裡，這事你知道嗎？」

「知道。可是，局長，他不會做這種事的。」

局長揚起眼珠，直視著貝萊的臉。「為何不會？機・山米搶了他的工作，我能想像他的心情，他感到極度不平，因此會想要報復，換成你不會嗎？然而事實是，他十四點整便離開了總部，而你在十四點三十分還聽見機・山米的聲音。當然，他有可能在離去前先交給機・山米一個阿爾發噴射器，囑咐他一小時之後再用，可是話說回來，他要去哪裡弄個阿爾發噴射器呢？這個假設禁不起考驗。所以我們再回到機・山米身上，你在十四點三十分的時候，到底聽見他說了些什麼？」

貝萊猶豫了好一陣子，然後謹慎地說：「我不記得，後來我們很快就走了。」

「你們去哪裡？」

「最後的目的地是酵母鎮，對了，我想談談這件事。」

「待會兒，待會兒。」局長摸了摸下巴，「我注意到潔西今天也來了，我的意思是，我們把今天的訪客清查了一遍，我剛好看到她的名字。」

「她的確來過。」貝萊冷冷地說。

「來做什麼？」

「一點家務事。」

「她也需要接受偵訊，只是例行公事。」

「我瞭解警方的辦事原則，局長放心。順便問一下，那個阿爾發噴射器也是線索吧？有沒有追查它的來源？」

「喔，有的，它來自一家發電廠。」

「廠方如何解釋？」

「他們沒解釋，他們對此事毫無概念。可是聽好了，利亞，除了照例要做一次筆錄，這件事和你一點關係都沒有。你專心去辦自己的案子，只不過……嗯，你專心調查太空城謀殺案就好。」

貝萊說：「我可否晚些再做筆錄，局長？事實上，我還沒吃飯哩。」

恩德比局長瞪大眼睛望著貝萊。「拜託你去吃點東西吧，可是不要離開警局，好不好？不過，你的搭檔說得對，利亞，」他似乎想要避免直接和機．丹尼爾交談，甚至不想提他的名字，「我們需要的是動機，動機。」

貝萊突然僵住了。

有個彷彿不屬於他的，而且完全陌生的力量，正在撥弄著今天、昨天和前天所發生的每一件事。一塊塊的拼圖彼此開始接榫，完整的圖樣就快要成形了。

他問：「那個阿爾發噴射器來自哪家發電廠，局長？」

「威廉斯堡廠，問這幹什麼？」

「沒什麼，沒什麼。」

當貝萊領著機．丹尼爾大步走出辦公室之際，他聽見局長仍在喃喃自語：「動機，動機。」

貝萊來到又小又乏人問津的警局便餐廳，草草吃了一頓。主菜是擺在萵苣上的有餡番茄，他狼吞虎嚥地一口接一口，甚至不太清楚吃下些什麼，而且，當晚餐通通下肚之後，他仍下意識地用叉子在光滑的紙盤上劃來劃去，尋找著早已不存在的食物。

一兩秒鐘後，他發覺不對勁了，趕緊放下叉子，咕噥了一聲：「耶和華啊！」

然後他大叫：「丹尼爾！」

機．丹尼爾一直坐在另一張餐桌前，彷彿不希望打擾顯然滿腹心事的貝萊，也彷彿他自己需要一點隱私，但貝萊沒興趣追究真正的原因。

丹尼爾站起來，坐到了貝萊那一桌。「什麼事，以利亞夥伴？」

貝萊並未抬起頭。「丹尼爾，我需要你的合作。」

「哪方面的合作？」

「他們會偵訊我和潔西，這是可以肯定的。我打算用自己的方式回答他們的提問，你瞭解嗎？」

「我當然瞭解你在講什麼。話說回來，如果有人直截了當問我一個問題，我怎麼可能不照實回答呢？」

「如果有人直截了當問你一個問題，那又另當別論。我只是請求你別主動提供信息，這點你做得到吧？」

「我想沒問題，以利亞，除非保持沉默有可能使我傷害到人類。」

貝萊繃著臉說：「如果你不這麼做，就會傷害到我，這點我可以向你保證。」

「我不太瞭解你的觀點，以利亞夥伴，機．山米這件事明明不會牽連到你。」

「不會嗎?這件案子的關鍵在於動機，對不對?兇手動機何在，你曾經問過，局長也問過，甚至可以說連我也問過。為什麼會有人想要殺掉機．山米?請注意，這個問題並不等於為什麼會有人想要毀掉一兩個機器人，實際上，任何地球人都想做那件事。我們面對的問題是，到底什麼人會單挑機．山米下手？文森．巴瑞特雖有嫌疑，但局長說過，他無法弄到阿爾發噴射器，這個說法有道理。因此我們的調查必須另起爐灶，而剛好另一個人正巧也有動機，而且這個動機太明顯了，太招搖了，簡直就是人盡皆知。」

「那人是誰，以利亞？」

貝萊柔聲說：「就是我，丹尼爾。」

機．丹尼爾只是搖了搖頭，這句話所帶來的震撼仍舊沒有改變他毫無表情的面容。

貝萊說：「你不同意？我太太今天來過辦公室，這事他們已經知道。局長甚至起疑了，如果我們沒有私交，他不會只是簡簡單單問一兩句而已。我可以肯定，他們會把前因後果查個一清二楚。她是某個陰謀集團的成員，雖然那個組織既愚蠢又無害，但仍然是個陰謀集團，而身為警察，我不能容許自己的妻子和這種組織有任何牽連，所以我有想要掩蓋事實的明顯動機。

「好，那麼誰會知道這件事呢？你我當然知道，此外就是潔西——以及機．山米，他曾經見到她驚慌失措的樣子。當他告訴她說我們嚴令不得打擾之後，她一定曾經情緒失控；她走進辦公室時那副德行，你是親眼見到的。」

機．丹尼爾說：「她不太可能會對他吐露什麼真相。」

「或許如此，但我現在是根據他們的思維來重建案情。他們會說她吐露了，而這就是我的動機，我為了滅口而將他殺害。」

「他們不會這麼想的。」

「他們會這麼想的。兇手所做的一切安排，都是為了把嫌疑引到我身上來。為什麼要用阿爾發噴射器？這樣做有相當的風險，一來不易取得，二來不難追查來源，但我認為這正是它成為兇器的原因。兇手甚至命令機・山米走進攝影器材室，然後才殺死他，在我看來這樣做的原因很明顯，無非是要讓死因一目瞭然。即使大家都幼稚到沒有立刻發現阿爾發噴射器，要不了多久，一定會有人注意到那些起霧的軟片。」

「這一切又如何牽扯到你呢，以利亞？」

貝萊硬生生咧開嘴，長臉上卻完全沒有任何笑意。「非常巧妙。那個阿爾發噴射器是從威廉斯堡發電廠偷來的，而你我昨天正巧曾借道威廉斯堡發電廠。有人看到了我們，所以這件事遲早會曝光的。於是，身為嫌犯的我，除了有動機之外，還有取得兇器的機會。此外，調查的結果很可能證明我們是機・山米死前所接觸的最後兩個人，當然，我是指除了真兇之外。」

「在發電廠的時候我一直和你在一起，我可以作證，你並沒有機會偷竊阿爾發噴射器。」

「謝謝。」貝萊悲傷地說：「但你是機器人，你的證詞沒有法律效力。」

「局長是你的朋友，他會相信你的。」

「局長需要保住自己的職位，而且他對我已經有點敏感了。如今我只有一個機會，可以幫我自己脫離這個險惡異常的境況。」

「什麼機會？」

「我曾經自問，為何會有人嫁禍於我？目的顯然是要把我除掉，可是為什麼呢？答案仍然很明顯，因為我對某人產生了威脅。目前我正在全力調查那樁太空城謀殺案，因此我威脅到那個殺害薩頓博士的真兇。當然，真兇應該就是懷古份子，起碼他們的核心團體涉有重嫌。想必就是這個核心團體知道我曾經借道發電廠，因為其中至少有一名成員，昨天一路跟蹤我到了那裡，雖然你認為已經將他們通通甩掉了。

「所以說，如果我能找出謀害薩頓博士的兇手，就有機會找出試圖令我出局的人。如果我能想透，如果我能破案，如果我能揭開這樁陰謀，那麼我就安全了。至於潔西，我絕對不能讓她……可是我沒有多少時間了。」他忽鬆忽緊地攥著拳頭，「我沒有多少時間了。」

貝萊望著機．丹尼爾如雕像般的臉孔，心中突然燃起一股希望。不論他算不算人，但他既強壯又忠誠，而且沒有絲毫私心私欲。像他這樣的朋友，還有什麼可挑剔的？貝萊此時亟需身邊有個朋友，至於這個朋友到底是不是血肉之軀，他可沒心情吹毛求疵。

沒想到，機．丹尼爾竟然開始搖頭。

然後，這機器人開口道：「我很抱歉，以利亞，」當然，他臉上並沒有一絲悲傷的表情，「但我未曾料到會有這樣的發展。或許我的行動對你造成了傷害，然而在整體利益的要求下，我只能說抱歉了。」

「什麼整體利益？」貝萊結結巴巴地問。

「我一直在和法斯陀夫博士通訊。」

「耶和華啊！什麼時候開始的？」

「你吃飯的時候。」

貝萊緊緊抿起嘴唇。

「是嗎？」他勉力故作鎮定，「發生了什麼事？」

「如果你想證明自己並非殺害機·山米的兇手，恐怕要另謀他途，不能再用偵辦薩頓博士的案子當跳板了。根據我所獲得的信息，太空城的同胞決定今天過後便終止這項調查，全力投入離開太空城和地球的籌劃工作。」

第十七章　終止

貝萊以異常平靜的心情看了看手錶，現在是二十一點四十五分，距離子夜還有兩小時一刻鐘。他今天不到六點就醒了，此後一直沒闔過眼，而像這樣的緊張生活已經持續了兩天半。在他的感覺中，一切似乎變得不太真實了。

他取出菸斗以及珍藏著一點點菸絲的小袋子，並竭力要求自己的聲音保持平靜，然後說：「這到底是怎麼回事？」

機．丹尼爾答道：「你還不瞭解嗎？我說得不夠明白嗎？」

貝萊耐著性子說：「對，我還不瞭解，你說得不夠明白。」

「我們來到這裡，」機器人說：「我所謂的我們，是指太空城裡的同胞，我們的目的是要打破地球周圍的藩籬，強迫地球人再度向外發展、殖民外星。」

「這點我知道，請別再多費唇舌了。」

「我必須費些唇舌，因為這是關鍵。若說我們急於懲處殺害薩頓博士的兇手，並非我們指望能讓薩頓博士起死回生，你瞭解吧；真正的原因是，如果連這點也做不到，母星上那些反對太空城宗旨的政客就會更加振振有詞。」

「可是現在，」貝萊突然變得很兇，「你卻說你們自己決定要回家了，這是為什麼呢？看在老天的份上，這究竟是為什麼？薩頓案即將真相大白，這點錯不了，否則他們不會費這麼大的力氣把我趕走。我有一種感覺，我已經掌握了破案所需的一切事實，答案一定就在這裡，」他猛敲著太陽穴，「或許一句話，或許幾個字，馬上能讓我開竅。」

他使勁閉上眼睛，過去六十個小時所累積的重重迷霧，彷彿眼看就要被朝陽驅散了。可惜事與願違，事實並非如此。

貝萊哆嗦著吸了一口氣，突然覺得很丟臉。在一個凡事無動於衷、只會默默瞪著自己的冰冷機器面前，他居然表現出軟弱的窘態。

他粗聲說：「嗯，不管了。太空族為什麼要走掉？」

機器人說：「我們的計畫告一段落了，我們相信地球人會開始殖民外星。」

「所以說你們變得樂觀了？」這位便衣刑警總算可以心平氣和地吸一口菸，而且覺得比較能夠掌握自己的情緒了。

「是的。長久以來，太空城一直用改造經濟結構的手段試圖改造地球。我們試著引進自己的碳／鐵文明，而你們地球政府和各大城的政府都願意和我們合作，因為這是有益無害的一件事。話說回來，我們花了二十五年的時間，最後還是失敗了。我們越努力，懷古份子的反對勢力就越增長。」

貝萊說：「這些我都知道。」但他同時心想：沒用的，他一定得用自己的方式說一遍，就像播放實況錄音那樣。於是在內心深處，他衝著機．丹尼爾無聲地大喊：你這機器！

機・丹尼爾繼續說：「薩頓博士率先提出一個理論，認為我們必須徹底改變戰術。我們必須先從地球人口中找出一批人，他們要和我們有共同的心願，或是至少能接受並執行我們的理念。藉由鼓勵和幫助他們，我們可以促成一個不帶外來色彩的本土運動。不過，困難在於如何找出最適合我們的本地人，而你，以利亞，就代表一個有趣的實驗。」

「我？我？你是什麼意思？」貝萊追問。

「我們很高興你們局長推薦的是你。根據你的心理檔案，我們斷定你是個很有用的樣本。而我一和你碰面，立刻對你進行大腦分析，確認了我們的判斷無誤。你是個務實的人，以利亞。雖然你對地球的過去感興趣，但心態很健康，不會浪漫地沉湎其中。另一方面，你也不會固執地擁抱當今地球的大城文化。我們覺得就是要像你這樣的人，才能領導地球人再度前往星際。昨天上午，法斯陀夫博士急著想見你，這正是原因之一。

「老實說，你的務實天性未免太過強烈。你拒絕相信有人會為了狂熱的理想，哪怕是錯誤的理想，而能做出大大超越自己能力的事，例如在半夜跨越鄉間，去摧毀他心目中的地球公敵。因此之故，當你固執地、勇敢地試圖證明這件案子是騙局時，我們並不怎麼驚訝。就某方面而言，這剛好證明你正是我們要找的實驗對象。」

「天哪，那是什麼實驗？」貝萊用力捶了桌子一拳。

「說服你相信唯有殖民外星才能解決地球的問題，這就是我們的實驗。」

「好吧，我願意承認，我被說服了。」

「不過，是在適度藥劑的影響下。」

貝萊突然牙齒一鬆，再也咬不住菸斗，好在他在半空中及時接住。與此同時，太空城穹頂屋中的場景再度浮現眼前：他被丹尼爾終究是機器人的事實嚇呆了，等到逐漸恢復神智的時候，機．丹尼爾正用手指捏著他的手臂；那塊皮膚底下有個「埋針」的暗影，但很快就消失不見了。

他激動萬分，吞吞吐吐地問：「埋針裡是什麼藥？」

「你完全不需要緊張，以利亞，那是一種溫和的藥物，只會讓你的心胸更開放。」

「從此不論別人說什麼，我都會照單全收，對不對？」

「並不盡然。如果不合乎你的基本思想結構，你仍舊不會接受。事實上，實驗的結果頗令人失望。法斯陀夫博士希望你會變得對我們的理念既狂熱又專一，結果你只是勉強認同，如此而已。你的務實天性從中作梗，不讓你有進一步的反應。這使得我們瞭解，其實那些浪漫主義者才是我們唯一的希望，不幸的是，浪漫主義者本質上都是懷古份子，只是有顯性和隱性之分罷了。」

貝萊心中忽然冒出好些突兀的感覺，一來相當自傲，二來對自己的頑強深感欣慰，三來很高興自己令他們失望——讓他們找別人實驗去吧。

他狠狠地咧嘴一笑。「所以你們現在放棄了，準備打道回府了？」

「喔，並不是這樣，剛才我曾經說過，我們相信地球會開始殖民外星。而且，這個答案還是你提供給我們的。」

「我提供你們的？怎麼提供？」

「你曾對法蘭西斯．克勞沙提到殖民外星的種種好處。據我判斷，你講得相當賣力，我們的實驗至少達到了這個效果。而克勞沙的大腦特質因此改變了，雖說非常輕微，但的確改變了。」

「你的意思是我居然說服了他？我可不相信。」

「不，要說服一個人並沒有那麼簡單。可是大腦分析所顯示的變化，充分證明懷古份子在這方面是可以被說服了。我自己又做了進一步的實驗，在我們離開酵母鎮的時候，我根據他的大腦變化，猜到你和他可能有過一番對話，於是我提出移民訓練機構的想法，並指出這麼一來，他的子女便能前途無憂。他雖然拒絕了，可是他的精神氛圍再度改變，因此我相當確定，這種心理戰術是正確的。」

機．丹尼爾頓了頓，然後繼續說下去。

「在所謂的懷古主義中，蘊藏著一種作先鋒的渴望。沒錯，這個渴望投射到了地球本身，這是因為地球距離最近，而且擁有輝煌的過去。可是若將願景投射到其他世界，本質上並沒有什麼差別，而浪漫主義者不難做到這一點，例如你給克勞沙上了一課，他便深受吸引，就是這個道理。

「所以你看，我們太空城的宗旨不知不覺已經成功了。我們自己就是那個擾動因素，它比我們刻意引進的其他因素更為有效。由於我們的催化，地球人對母星的激情落實為懷古主義，甚至還出現了相關的組織。畢竟，想要打破成規的是懷古份子，並非一心想要保持現狀以獲取最大利益的大城官僚。如果我們現在離開太空城，不再繼續刺激懷古份子，即可避免他們擁抱地球到了無藥可救的地步；如果我們暗中留下一些人，或是像我這樣的機器人，他們就能聯合像你這種認同我們的地球人，共同建立起我所說的移民訓練機構。在這些前提下，懷古份子最後一定會放棄地球而擁抱太空，那時他們會需要機器人，我們當然樂意提供，他們也可以自己製造。然後，他們會發展出一種適合自己的碳／鐵文明。」

機．丹尼爾很少發表這樣的長篇大論，他自己一定也注意到了，所以再度頓了頓之後，他說：「我把這一切都告訴你，是想解釋我為何不得不做些可能傷害你的事。」

貝萊忿忿地想：對，機器人不得傷害人類，除非他有辦法證明這樣做其實是為了此人的終極利益。

然後他說：「慢著，我要提出一個務實的顧慮。你們回到母星之後，外圍世界就會知道有個地球人殺了一名太空族，最後他卻逍遙法外，於是他們會聯合起來向地球索取賠償。可是我要警告你，對於這樣的威脅，地球再也不會忍氣吞聲，所以勢必會引起爭端。」

「我確定不會發生這種事，以利亞。在我們的母星上，最希望向地球索賠的那些人剛好也是最希望關閉太空城的人。我們大可利用後者當誘因，要求他們放棄前者。總之，這正是我們的打算，所以地球會安然無事的。」

貝萊突然情緒失控，聲音沙啞且帶著絕望。「那我怎麼辦？一旦太空城不再追究，局長立刻會終止薩頓案的調查，可是機．山米一案卻會繼續查下去，因為它是警局的家醜。他隨時可以拿出一堆不利於我的證據，這點我知道，一切都已經安排好了。我會被解雇，丹尼爾，還有別忘了潔西，她會被污衊成罪犯，而班特萊……」

機．丹尼爾說：「你千萬別以為我不瞭解你的處境，以利亞。為了人類整體的利益，必須容忍一些小冤小錯。薩頓博士身後留有父母、妻子、兩個兒女、一個妹妹，以及許多親朋好友，他們對於他的慘死一定傷心不已，然而，每當想到兇手並未接受法律制裁，更會令他們痛上加痛。」

「那你為何不留下，把真兇找出來？」

「現在已經沒這個必要了。」

貝萊忿忿不平地說：「你何不乾脆承認整起調查只是一個幌子，真正目的是為了要在實際情境中研究我們地球人？他媽的，你們根本不在乎誰殺了薩頓博士。」

「我們原本也很想知道。」機．丹尼爾冷冷地說：「可是若將個人和整體放在天平兩端，我們向來不會以為兩者能夠平衡。如果繼續調查下去，會干擾到我們已經感到滿意的現狀，我們無法預估會造成何等危害。」

「你的意思是，兇手有可能是個很重要的懷古份子，而此時此刻，太空族無論如何不想和新朋友為敵。」

「我自己並不會這樣說，但是你的說法不無道理。」

「你的正義線路哪兒去了，丹尼爾？這是正義嗎？」

「正義有許多等級，以利亞。當較低和較高的正義無法相容時，較低的必須退讓。」

在這段時間裡，貝萊的心思一直繞著對方無懈可擊的正子腦邏輯在打轉，試圖尋找漏洞和弱點。

他又說：「難道你個人沒有好奇心嗎，丹尼爾？你自許為警探，但你可知道這代表著什麼？你可明白調查工作並不只是一件差事而已？它是一種挑戰，是你和罪犯之間的角力，是一種智慧的對決。你能輕易放棄、舉手投降嗎？」

「如果根本不值得繼續下去，當然要放棄。」

「難道你不會有失落感嗎？不會納悶嗎？不會有一點點不滿意嗎？好奇心不會受挫嗎？」

貝萊起初就沒有抱多大希望，後來則是越說越氣餒。而在第二次提到「好奇心」的時候，他聯想到四個鐘頭之前，自己對法蘭西斯．克勞沙說的那番話。當時他就相當清楚人類和機器的差異何在，好奇心必定是其中之一。一個六週大的小貓就懂得好奇，可是難道真有好奇的機器嗎？即使這個機器那麼像真人？

機．丹尼爾像是在呼應貝萊的想法，他說：「你所謂的好奇心是什麼意思？」

貝萊盡可能說得冠冕堂皇。「好奇心三個字，是用來描述一種拓展知識領域的渴望。」

「如果拓展知識是為了執行任務的需要，那麼我心中也有這種渴望。」

「是啊，」貝萊以反諷的口吻說：「例如你為了深入瞭解地球的習俗，因而追問班特萊的隱形眼鏡。」

「正是如此。」機．丹尼爾似乎對貝萊的諷刺一無所覺，「然而，漫無目標地拓展知識——我想你所謂的好奇心其實是這個意思——則是毫無效率的行為，而我被設計得可以避免這種事。」

就在這個時候，以利亞．貝萊等待已久的「那句話」總算出現了，原先擋在眼前的重重迷霧也終於開始消散。

當機．丹尼爾說到一半的時候，貝萊已經張開嘴巴，然後一直沒有闔上。

這並不能說是一種頓悟，過程絕對沒有那麼簡單。在他的潛意識深處，他謹慎地、周詳地建立了一個理論，可惜其中卻有一個自相矛盾之處。那個矛盾極其頑強，既不能忽略也不能避開，只要有它存在，那個理論便會繼續深埋腦海，不會浮現到他的意識層面來。

但如今那句話出現了，矛盾隨之消失，他終於掌握了那個理論。

這股靈光看來帶給貝萊極強的激勵，至少他突然想通機．丹尼爾的弱點何在了，那是所有思想機器共同的弱點。他興奮不已、滿懷希望地想：我吃定了你這死腦筋的東西。

他說：「太空城計畫今天就要結束，而薩頓案的調查亦將同時終止，對不對？」

「這是我們太空城同胞的決定。」機．丹尼爾冷靜地回應。

「可是今天還沒有過完。」貝萊看了看手錶，現在是二十二點三十分，「距離子夜還有一個半小時。」

機・丹尼爾並未答腔，似乎是在思索這句話。

貝萊迅速說道：「所以說，這個計畫將持續到子夜時分，而調查也要進行到那時候。」他越說越快，速度直逼連珠砲，「你是我的搭檔，咱們要有始有終。讓我放手去做，我向你保證，這樣對你的同胞非但沒害處，還會有極大的好處。如果你斷定我言行不一，隨時可以阻止我，我只要求再給我一個半小時。」

機・丹尼爾說：「你說得對，今天還沒過完。我並未想到這一點，以利亞夥伴。」

貝萊再度成為「以利亞夥伴」了。

他咧嘴一笑，然後說：「當我在太空城的時候，法斯陀夫博士是不是提到一部關於兇案現場的影片？」

「是的。」機・丹尼爾說。

貝萊問：「你能弄到一份嗎？」

「可以，以利亞夥伴。」

「我是指現在！立刻！」

「如果我能借用警局的發射機，只需要十分鐘。」

結果要不了十分鐘，貝萊已經用顫抖的雙手握著一個小鋁塊，而從太空城傳來的微妙力場，已在其中建立了一個特定的原子型樣。

就在這個時候，朱里斯・恩德比局長出現在餐廳門口。他一看到貝萊，那張圓臉便閃過一絲焦慮，隨之而起的是越來越惱怒的表情。

他帶著猶豫的口吻說：「你呀你，利亞，你這頓飯可吃得真慢啊。」

「我實在太累了，局長，抱歉讓你久等。」

「我倒無所謂，不過……你最好到我的辦公室來一趟。」

貝萊對機・丹尼爾使了一個眼色，但沒有得到任何回應，兩人隨即雙雙走出便餐廳。

朱里斯・恩德比在辦公桌前不停踱步，來來回回，來來回回。貝萊靜靜望著他，自己其實同樣心神不寧，不時低頭看看手錶。

二十二點四十五分。

局長將近視眼鏡推到額頭上，用拇指和食指按摩雙眼，直到眼眶四周都揉紅了，他才重新戴上眼鏡，再對貝萊眨了眨眼。

「利亞，」他突然開口，「你到威廉斯堡發電廠，是什麼時候的事？」

貝萊答道：「昨天，我離開辦公室之後。據我估計，大約是十八時或更晚一點。」

局長搖了搖頭。「你為何不早說？」

「我是打算要說，但一直沒機會正式做個報告。」

「你去那裡做什麼？」

「沒什麼，前往臨時宿舍的半途剛好路過罷了。」

局長突然停下腳步，站到了貝萊面前，然後說：「這個答案很糟，利亞，一個人不論要去哪裡，都不會剛好路過發電廠。」

貝萊聳了聳肩。時機未到，那段被懷古份子追蹤、在路帶上狂奔的經過，目前還沒必要講出來。

於是他說：「如果你是想暗示，我有機會取得那個毀掉機．山米的阿爾發噴射器，那麼我要提醒你，丹尼爾當時和我在一起，他可以替我作證，當天我直接穿過發電廠，沒做任何停留，離去時也沒有帶著任何噴射器。」

局長慢慢坐下來，他並未望向機．丹尼爾，也並未打算和他交談。他只是將一雙肥嫩的手掌擱在辦公桌上，帶著一副愁苦的表情，仔細凝視著這雙手。

他終於開口道：「利亞，我不知道該說些什麼或相信什麼，總之，你不能用你的……你的搭檔當證人，他根本不能作證。」

「總之，我否認拿過阿爾發噴射器。」

局長的十根手指纏扭在一起。「利亞，今天下午潔西來找你做什麼？」他問。

「你曾經問過我，局長，我的答案照舊，一點家務事。」

「我從法蘭西斯．克勞沙那裡取得一些口供，利亞。」

「什麼口供？」

「他供出有個要以武力推翻政府的懷古組織，其中一名成員叫做耶洗別．貝萊。」

「你確定他講的不是別人？姓貝萊的可多得是。」

「耶洗別．貝萊可就不多了。」

「他指名道姓了，是嗎？」

「他說了耶洗別這個名字，是我親耳聽到的，利亞，我不會提供二手報告給你。」

「好吧，潔西的確加入一個近乎瘋狂可是無害的組織，但是她除了偶爾開開會、過過乾癮，其他什麼也沒做。」

「評議會可不會這麼想，利亞。」

「你的意思是我要被停職了，因為我涉有毀損機．山米這項政府財產的重嫌？」

「我希望不會，利亞，可是看來情況很凶險。大家都知道你不喜歡機．山米，而且今天下午有人看到你太太和他在說話。她一面說一面哭，旁人或多或少聽進去了。這些事本身都沒什麼，但加在一起就難說了，利亞。或許你覺得為了保密必須殺他滅口，何況你又有機會取得兇器。」

貝萊插嘴道：「如果我想消滅不利於潔西的一切證據，為何還要把法蘭西斯．克勞沙抓來？關於潔西的事，他知道的似乎比機．山米要多得多。另一方面，我經過那家發電廠的時間，比機．山米碰到潔西早了十八個小時，難道說我有超感應，能夠預知我要毀掉他，所以順手拿了一個阿爾發噴射器？」

局長道：「這些說詞對你有利，我會盡力而為。其實我也很遺憾，利亞。」

「是嗎？你真的相信我是無辜的，局長？」

恩德比慢吞吞地說：「坦白告訴你，利亞，我也不知道該相信什麼。」

「那麼我來告訴你該相信什麼吧，局長，整起事件是個精密策劃的嫁禍行動。」

局長突然強硬起來。「慢著慢著，利亞，別像瘋狗那樣亂咬。你想用這種方式自衛，是不會得到任何同情的，太多壞蛋用過這個伎倆了。」

「我不是要博取同情，我只是在陳述事實。有人為了不讓我查到薩頓案的真相，想盡辦法要把我趕出去。可是算他倒楣，這傢伙出手太遲了。」

「什麼！」

貝萊又看了看錶，現在是二十三點整。

他說：「我已經知道是誰在陷害我，也已經知道薩頓博士是如何遇害的，甚至知道兇手是誰。我還有一小時的時間，可以把這一切告訴你，然後抓住兇手，圓滿結束這起調查。」

第十八章　結案

恩德比局長瞇起雙眼，兇巴巴瞪著貝萊。「你想做什麼？昨天上午，你在法斯陀夫的穹頂屋就試過一次，別再來這套了，拜託。」

貝萊點了點頭。「我知道，上次是我搞錯了。」

他氣咻咻地想：後來又錯了一次，可是現在，這一回，可不會……

但這個想法隨即消逝，就像是受到了正子阻尼器的阻擋。

他說：「你自己來判斷吧，局長。假設不利於我的證據是偽造的，請設身處地替我想一想，看看你都能想到些什麼。問問你自己，有誰能夠偽造這個證據？答案很明顯，一定是知道我昨晚去過威廉斯堡發電廠的人。」

「好吧，那會是誰呢？」

貝萊說：「昨天走出食堂之後，我被一群懷古份子跟蹤。後來我甩掉了他們，或者應該說我這麼以為，但事實顯然並非如此，他們至少有一個人看到我穿過那家發電廠。你該瞭解，我那麼做只有一個目的，就是要擺脫他們。」

局長考慮了一下。「克勞沙？他也在其中嗎？」

貝萊點了點頭。

恩德比局長說：「好吧，我們會再偵訊他。如果他知道任何內幕，我們一定會問出來。除此之外，我還能做些什麼，利亞？」

「慢著，別忙著打發我。你明白我的意思嗎？」

「嗯，我來琢磨一下。」局長雙手緊緊交握，「克勞沙看見你走進威廉斯堡發電廠，也或許是他的同黨看到之後，再把這個消息傳給他，於是他決定利用這件事來陷害你，令你退出調查。你是這個意思嗎？」

「相當接近。」

「很好。」局長似乎越來越投入，「他自然知道你太太隸屬於他們的組織，所以你絕不允許自己的私生活遭到深入探查。他認為你寧願辭職，也不會挺身對抗這個間接證據。對了，利亞，要不要真的考慮辭職？我是說，如果情勢對你實在不利，我們可以把事情壓下……」

「百萬分之一的可能都沒有，局長。」

恩德比聳了聳肩。「好吧，我說到哪裡了？喔，對，於是他弄到一個阿爾發噴射器，想必是從發電廠的同謀那兒取得的，然後，他又叫另一個同謀下手毀掉機．山米。」他輕敲著桌面，「沒說服力，利亞。」

「為什麼？」

「太過牽強附會，需要太多同謀了。我忘了說，不論是昨晚或太空城謀殺案發生之際，他都有堅不可摧的不在場證明。我們幾乎立刻就查了出來，不過，只有我知道為何要特別調查後者。」

貝萊回應道：「我從來沒說是克勞沙幹的，局長，都是你說的。那個懷古組織的成員個個都有嫌疑，克勞沙會被我們揪出來，只是因為丹尼爾剛好認出他的臉。我甚至並不認為他在那個組織中有多麼重要，不過話說回來，他背後倒是有件奇怪的事。」

「什麼事？」恩德比狐疑地問。

「他竟然知道潔西是他們的成員。請你想想，難道那個組織的成員他通通認識嗎？」

「我不知道。反正他認識潔西就對了，或許因為她是警察的妻子，所以地位特殊；或許是這個緣故，他才對她有印象。」

「你說他自動供了出來，說耶洗別．貝萊是他們的成員。他是這麼說的嗎？耶洗別．貝萊？」

恩德比點了點頭。「我一再對你強調，是我親耳聽到的。」

「那就有趣了，局長。早在班特萊出生之前，潔西就不再用耶洗別這個名字，從無例外，我非常肯定。而她加入懷古組織，是在班特萊出生之後，這點我也相當肯定。所以說，克勞沙怎麼會稱呼她耶洗別呢？」

局長突然滿臉通紅，連忙解釋：「喔，既然這樣，或許他說的是潔西，是我下意識地改成了正式的說法。事實上，我現在相當確定，他的確是說潔西。」

「在此之前，你相當確定他說的是耶洗別，我問過你好幾次。」

局長提高了音量。「你該不是說我在撒謊吧？」

「我只是懷疑或許克勞沙什麼也沒說，我只是懷疑這都是你編造的。你認識潔西已有二十年，所以你知道耶洗別這個名字。」

「你腦袋有問題，老弟。」

「是嗎？今天吃完午餐之後，你到哪裡去了？你至少有兩個鐘頭不在辦公室。」

「你在質問我嗎？」

「我還要替你回答呢，你去了威廉斯堡發電廠。」

局長站了起來，看得出他的額頭正在冒汗，兩側嘴角則有白色的乾燥斑點。「他媽的，你到底想要說什麼？」

「難道你沒去？」

「貝萊，你被停職了，把證件交給我。」

「別急，聽我說完。」

「我不想聽。你心懷不軌，你和魔鬼一樣邪惡，真沒想到，你居然用這麼低賤的方法想讓我，我耶，看來像是在設計陷害你。」他氣到講不出話來，不知所云地尖叫了一陣子，才勉強喘著氣說：「事實上，你已經被捕了。」

「不，」貝萊堅定地說：「別急，局長，我的手銃正指著你呢。我瞄得很準，隨時可以發射。別想唬弄我，拜託，因為我已經沒有退路了，但我一定要把話講清楚。然後，愛怎麼處置隨便你。」

朱里斯．恩德比瞪大眼睛，緊盯著貝萊手中的殺人武器。

他結結巴巴地說：「這足以讓你關二十年，貝萊，而且是在大城最底層的監獄。」

機．丹尼爾突然採取行動，他緊緊抓住貝萊的手腕，但仍心平氣和地說：「我不能讓你這麼做，以利亞夥伴，你絕對不能傷害局長。」

「你，抓住他，這是第一法則！」自從機．丹尼爾進入大城以來，這還是局長第一次直接對他說話。

貝萊迅速解釋：「我並不打算傷害他，丹尼爾，除非你縱容他逮捕我。你說過，你會幫助我弄個水落石出，目前我還有四十五分鐘。」

機．丹尼爾仍舊抓著貝萊的手腕。「局長，我認為應該允許以利亞暢所欲言。現在，我已經和法斯陀夫博士取得聯絡……」

「怎麼做的？怎麼做的？」局長急忙追問。

「我身上有個自給自足的次乙太裝置。」機．丹尼爾答道。局長瞪大眼睛，一副難以置信的模樣。

「我會和法斯陀夫博士一直保持著通訊，」機器人不帶感情地繼續說：「如果你不讓以利亞發言，將會留下很糟的印象，局長，而後果則不難推想。」

局長跌回椅子裡，什麼話也說不出來。

貝萊開始陳述：「我說你今天去過威廉斯堡發電廠，局長，而且從那裡取得一個阿爾發噴射器，然後交給了機．山米。你故意選擇威廉斯堡發電廠，就是為了要誣陷我。你甚至抓住傑瑞格博士再度出現的機會，邀請他來警局，卻刻意交給他一根訂錯目標的引路棒，將他引到攝影器材室，好讓他發現機．山米的遺體。你打算利用他的專業，第一時間做出正確的診斷。」

貝萊將手銃放到一旁。「現在如果你想要逮捕我，可以動手了，但太空城是不會接受這個結果的。」

「動機！」恩德比氣急敗壞地勉強吐出兩個字。他摘下起霧的眼鏡，使得他的臉孔再度顯得有些茫然和無助。「我可能有任何動機嗎？」

「你給我製造了麻煩，有沒有？薩頓案的調查工作因而受阻了，對不對？退一萬步來講，機．山米知道得未免太多了。」

「老天啊，他知道什麼？」

「他知道五天半前，那位太空族是怎樣遇害的。別忘了，局長，太空城的薩頓博士正是被你殺害的。」

恩德比只能緊抓著頭髮拚命搖頭，所以是機．丹尼爾回應了這句話。

那機器人說：「以利亞夥伴，你的理論恐怕相當有問題。你也知道，恩德比局長是不可能殺害薩頓博士的。」

「那麼聽好，你給我聽好，恩德比當初一心求我接下這個案子，從未考慮任何更高階的警探，他這樣做其實有好幾個原因。首先，我們是大學時代的哥兒們，他認為光憑這一點，我就絕不會懷疑這位老友兼可敬的上司是兇手。我的忠誠有口皆碑，令他覺得高枕無憂，你懂了吧。其次，他知道潔西參加了一個地下組織，萬一我快要查出真相，他大可利用這點逼我退出調查，或是威脅我閉嘴。事實上，他不太擔心會有這樣的發展，因為打從一開始，他就竭盡所能地誘導我懷疑你，丹尼爾，而且想盡辦法讓你我無法同心同德。他知道我父親曾經遭到解雇，所以能夠猜到我的反應。你瞧，這正是由兇手主導兇案調查的好處。」

局長終於能開口了，他孱弱無力地說：「我怎麼可能知道潔西的祕密呢？」然後，他轉向機器人，「你，如果你正在將這一切發送給太空城，告訴他們這是謊言！是徹頭徹尾的謊言！」

貝萊插嘴道：「你當然知道潔西的祕密，因為你也是一名懷古份子，而且是那個組織的成員。你的老式眼鏡！你的窗戶！在在顯示你這方面的性格。不過，我這兒還有更好的證據。」他起初說得很大聲，隨後又將音量降低，聽來冷靜到了詭異的程度。

「潔西怎麼會發現丹尼爾是機器人？當初我百思不解。現在我們當然知道了，她是從那個懷古組織聽來的，但這只是將問題推到另一個層次。那些懷古份子又是怎麼知道的？你，局長，提出過一個理論來打發這個問題，你說丹尼爾是在鞋店糾紛中被認出來的。我始終不太相信這個理論，我沒法相信。我剛見到他的時候，曾經以為他是真人，而我的眼睛正常得很。

「昨天，我邀請華盛頓的傑瑞格博士過來一趟。後來我才發現，他對我的幫助還真不少，可是，當初我打電話給他的時候，唯一的用意只是請他來做個實驗，看看在無人提醒的情況下，他能否認出丹尼爾的真實身份。

「局長，他並未認出來！我為他介紹了丹尼爾，他們握了握手，然後我們三人開始交談，直到觸及人形機器人這個話題，他才頓時恍然大悟。請注意，那可是傑瑞格博士，地球上最偉大的機器人學家。你是不是想告訴我，兩三個激進的懷古份子，在既緊張又混亂的情況下，竟然能表現得比他還好，而且僅僅由於覺得丹尼爾是機器人，他們整個組織就會傾全力展開行動？

「現在看來，那些懷古份子顯然一開始就知道丹尼爾是機器人。那起鞋店糾紛是故意設計的，好讓丹尼爾見識到大城中的反機器人情緒多麼高漲，以便透過他傳達到太空城。這樣做是為了要混淆視聽，將嫌疑從一個人轉移到一群人身上。

「好，如果他們一開始就知道丹尼爾的身份，那麼是誰告訴他們的？一來不是我，二來不是丹尼爾自己，雖然我懷疑過他。所以，知道真相的地球人就只剩下你了，局長。」

恩德比不知哪兒來的力氣，突然大聲說：「警局裡也可能有間諜，懷古份子不難滲透到我們身邊，你太太就是一個。既然你覺得連我都很可能是懷古份子，局裡其他人又有何不可？」

貝萊的嘴角微微向後扯，做出一個不屑的表情。「暫且別加入什麼神祕的間諜，先讓我們看看直截了當的答案能解釋多少問題。我要說，顯然你就是那個如假包換的內應。

「如今回顧，局長，過去這幾天，你的情緒一直隨著我和真相的距離而起伏，這點可真有意思。起初你相當緊張，而昨天上午，當我想造訪太空城卻不告訴你原因時，你幾乎要崩潰了。你以為我已經逮到你，是嗎？你以為我是在製造機會，將你交到他們手中？你告訴過我，你痛恨他們，當時你真的流下眼淚。一時之間，我還以為是由於你曾在太空城被當成嫌犯，那種屈辱令你悲憤不已，可是後來丹尼爾告訴我，他們十分重視你的感覺，處理得很謹慎，你壓根兒不知道自己曾是他們心目中的嫌犯。所以，你的慌亂是由於恐懼，而不是其他的情緒。

「然後，當我提出那個完全錯誤的答案時，你透過三維線路聽得一清二楚，立刻看出我距離真相天差地遠，於是你又恢復了信心。你甚至和我爭辯，並義正辭嚴地維護太空族。事後則有一陣子，你表現得相當穩定，相當自信。先前你在教訓我的時候，極力強調太空族有多麼敏感，後來卻輕饒了我對他們的錯誤指控。當時我很驚訝，現在才知道你巴不得我犯這個錯。

「接下來，我打電話找傑瑞格博士，你希望知道原因，我偏不告訴你，這又令你的心情跌入谷底，因為你怕……」

這時，機．丹尼爾突然舉起手來。「以利亞夥伴！」

貝萊看了看手錶，二十三點四十二分！「怎麼樣？」他問。

機．丹尼爾說：「假設他真的和懷古份子暗通款曲，由於擔心給你查出來，他的確有可能心神不寧。可是，那宗謀殺案卻和他扯不上關係，不可能和他有任何牽連。」

貝萊說：「你錯得離譜了，丹尼爾。當初他不知道我找傑瑞格博士做什麼，但自然而然會假設事情和機器人學有關。這就嚇壞了我們的局長，因為機器人和他所犯下的重罪有密切關聯，對不對，局長？」

恩德比搖了搖頭。「你等著瞧……」然後就哽住了，聽不清他說些什麼。

「這起謀殺是怎麼做到的？」貝萊壓抑著胸中的怒火，「碳／鐵，他媽的！就是碳／鐵！我在借用你的說法，丹尼爾。雖然你身上充滿碳／鐵文明的優點，但你看不出來一個別有居心的地球人會怎樣利用它。讓我來簡單說說吧。

「機器人可以毫無困難地跨越露天的鄉間，即使在夜晚，即使單獨行動都沒問題。於是，局長將一柄手銃交給機．山米，告訴他需在何時抵達何處。他自己則循著正常管道進入太空城，在衛生間交出了自己的手銃。然後，他從機．山米手中拿到原先那柄，殺掉了薩頓博士，再讓機．山米循原路將它帶回紐約大城。而今天他毀掉了機．山米，以免這個祕密洩漏出去。

「這樣一來，一切都有合理的解釋了，包括局長當時為何在場，兇器為何不翼而飛。而且在這個理論中，不必假設有什麼人需要在半夜走入露天的環境。」

可是，當貝萊講完之後，機．丹尼爾緊接著說：「我必須表示遺憾，以利亞夥伴，不過同時也為局長感到高興，因為你的理論什麼也解釋不了。我已經告訴過你，根據局長的大腦特質，他絕不可能犯下蓄意謀殺罪。我不確定哪些詞彙適用於這樣的心理狀態：懦弱、天良、慈悲。我知道這些詞彙的定義，但我無法正確判斷。無論如何，局長並沒有謀殺任何人。」

「謝謝你。」恩德比喃喃道，聲音中又有了力量和自信。「我不知道你的動機何在，貝萊，也不明白你為何想用這種方式毀掉我，但我一定會追查到底……」

「慢著，」貝萊道：「我還沒說完呢，我這裡還有個東西。」

他掏出那個小鋁塊，啪地一聲放到辦公桌上，然後試著感受渾身上下所散發的自信（至少他希望如此）。過去這半個小時，他一直避免想到一件小小的事實：自己並不知道其中有些什麼畫面。他是在孤注一擲，但除此之外，他已別無選擇。

恩德比趕緊向後閃。「這是什麼？」

「反正不是炸彈。」貝萊以諷刺的口吻說：「只是個很普通的微投影機。」

「是嗎？它又能證明什麼？」

「我們來看看吧。」他的指甲摳到鋁塊上一條隙縫，局長辦公室的一角隨即消失，由一個陌生的三維景象取而代之。

這個景象上下銜接天花板和地板，並一路延伸到辦公室之外。其中充斥著一種灰濛濛的光芒，和大城內任何人工照明都不一樣。

貝萊心中交雜著厭惡和愛慕兩種矛盾的情緒，他想：這一定就是所謂的曙光。

這個場景正是薩頓博士的穹頂屋，中央擺放著一具怵目驚心的殘骸，當然就是薩頓博士的遺體。

恩德比的眼珠幾乎凸了出來。

貝萊說：「我知道局長並不是殺手，這點不需要你來告訴我，丹尼爾。如果在此之前，我有辦法解釋這個矛盾，早就可以宣布破案了。事實上，直到一小時前，我無意間提到你曾對班特萊的隱形眼鏡感到好奇，才終於恍然大悟。這就是我要的，局長，我馬上聯想到你的近視和你的眼鏡正是解謎的關鍵。我相信，外圍世界並沒有近視這回事，否則他們很可能第一時間就查出薩頓案的真相。局長，你的眼鏡是什麼時候跌破的？」

局長反問：「你是什麼意思？」

貝萊答道：「我們第一次討論案情的時候，你告訴我那副眼鏡是在太空城跌破的，當時我曾假設，那是你聽到噩耗之後心慌意亂的結果。可是你從未這樣說，我也就沒有理由保留這個假設。事實上，你在進入太空城之際，如果早已心懷不軌，那麼在動手之前，很可能已經相當心慌意亂，足以令你把眼鏡跌破或踩壞。我說得對嗎？這是否就是事實？」

機．丹尼爾說：「我不明白你的論點，以利亞夥伴。」

貝萊心想：再過十分鐘，我就不是以利亞夥伴了。趕快！快點說！快點想！

他一面說話，一面調整穹頂屋內的影像。他試著將它放大，動作有些笨拙，而且由於他緊張得全身緊繃，指甲幾乎不聽使喚。終於，那具屍體忽快忽慢地逐漸變長、變寬、變高，而且距離越來越近，貝萊甚至覺得聞到了它所散發的焦味。死者的頭部、肩膀和一隻臂膀幾乎和身體分了家，勉強藉著殘缺不全的脊椎連接到臀部和大腿，中間部分則只剩下一根根燒成焦炭的肋骨。

貝萊斜睨了局長一眼，發現他早已閉上眼睛，一副噁心欲嘔的樣子。貝萊自己也覺得很噁心，但他不得不看個仔細。他利用發射機的控制鈕，慢慢旋轉這個三維影像，同時拉近和地面的距離，以便從各個象限仔細觀察這具屍體。突然間，他的指甲滑了一下，影像中的地板隨即傾斜，並且不斷放大，直到地板和屍體雙雙變作一團朦朧，遠超過發射機的解析度。他趕緊將影像縮小，並讓屍體滑到一旁。

與此同時，他仍一直在說話。他必須這樣做，在找到想要找的東西之前，他絕對不能住口。可是萬一找不到，他說的一切就都是廢話，甚至比廢話還不如。他的心跳越來越猛，脈動一路傳到他的腦袋。

他說：「局長不可能蓄意殺人，這是真的！可是，如果摘掉蓄意兩字，任何人都有可能過失致人於死。局長當天進入太空城，並不是想要殺害薩頓博士，他是特地去殺你的，丹尼爾，你！在他的大腦分析結果中，有沒有證據顯示他無法毀掉一具機器？那並非謀殺，只是一種破壞。

「他是個懷古份子，而且非常狂熱。他一直和薩頓博士合作，因此知道製造你是為了什麼，丹尼爾。他擔心這個計畫可能成功，導致地球人最後終於放棄地球，所以他決心毀掉你，丹尼爾。目前為止，像你這樣的機器人，真正出廠的只有你一個，而他自認十分有把握，只要展現懷古主義在地球上的勢力和決心，就能令太空族知難而退。這是因為他很清楚，在外圍世界上，結束太空城計畫的輿論有多麼強大。薩頓博士一定和他討論過這件事，所以他認為這會是壓垮駱駝的最後一根稻草。

「但我要強調，即使是殺害你，丹尼爾，也並非什麼愉快的想法。我猜，如果不是你的外表太像人類，使得機．山米那種原始機器人無法分辨真假，他就會命令山米代勞。山米不瞭解其中的差異，因此第一法則會阻止他。另一方面，局長應該也考慮過找真人行兇，可惜只有他一個人能夠隨意進出太空城。

「讓我來重建一下局長的計畫吧。我承認這只是我的猜測，但我相信八九不離十。他和薩頓博士約好了會面時間，但故意早到了。當時是黎明時分，我猜薩頓博士應該還在睡覺，而你，丹尼爾，你當然醒著。對了，我想你應該和薩頓博士住在一起吧，丹尼爾。」

機器人點了點頭。「你說得很對，以利亞夥伴。」

貝萊說：「那就讓我講下去。你會來到穹頂屋門口，丹尼爾，隨即胸部或頭部被轟一記，然後就報銷了。局長會立刻離去，穿過清晨渺無人煙的太空城街道，回到機．山米等待之處。一旦將手銃還給山米，他會再慢慢走回薩頓博士家。若有必要，他會自己『發現』你的屍體，但他還是比較希望由別人來發現。若有人質疑他為何早到，他就會說，讓我想想，他聽說懷古份子打算攻擊太空城，所以提前來找薩頓博士，想勸他採取祕密防範措施，以免太空族和地球人爆發公開衝突。有個機器人死在眼前，他的話自然可信。

「如果他們問起，為何你在進入太空城之後，過了好久才抵達薩頓博士家，局長，你就會說——讓我再想想——你發現街上有人鬼鬼祟祟，一路朝露天鄉間走去，於是你追了一陣子，這個說法更會把他們引導到錯誤的方向。至於機．山米，不會有人注意到他的，大城外的蔬菜農場多得是機器人，不差他一個。

「我說得有多正確，局長？」

恩德比捶胸頓足。「我沒……」

「對，」貝萊說：「你沒有殺死丹尼爾，他好端端站在這裡。自從他來到人城，你一直未曾和他正面相對，也沒喊過他的名字，現在你好好看看他，局長。」

恩德比並未那麼做，反之，他用顫抖的雙手掩住了臉。

貝萊的雙手也在發抖，險些未能抓穩發射機，因為他終於找到了。

此時影像聚焦於薩頓博士的家門口。大門並沒有關，整扇門滑進了牆壁之內，而在那條閃閃發亮的金屬滑軌裡面，有了！有了！

微弱的閃光，絕對錯不了。

「我來告訴你發生了什麼事，」貝萊說：「你的眼鏡是在這間屋子裡跌破的。那天你一定很緊張，而我太瞭解你在緊張時會做什麼，你會摘下眼鏡，一遍一遍擦拭。當時你正是在這麼做，但你的手抖得太厲害，眼鏡因此掉到地上，或許還被你踩了一腳。總之眼鏡壞了，而就在這個時候，大門滑開來，一個看似丹尼爾的人站在你對面。

「你轟了他一記，隨即撿起眼鏡，拔腿就跑。後來是他們發現了屍體，而不是你，等到他們找到你的時候，你才驚覺自己殺害的並非丹尼爾，而是早起的薩頓博士。薩頓博士照著自己的形象製造丹尼爾，這是他最大的不幸，而你在萬分緊張之際，由於沒戴眼鏡，根本分不出兩人的差別。

「如果要我提出具體證據，就在那裡！」在影像不斷晃動的過程中，貝萊小心翼翼地將發射機放到桌上，右手仍緊緊抓著。

恩德比局長和貝萊的臉孔都極度扭曲，前者是出於恐懼，後者則是緊張，只有機．丹尼爾看來仍無動於衷。

貝萊伸手一指。「門軌裡有些亮晶晶的東西，那是什麼，丹尼爾？」

「兩片碎玻璃。」機器人冷冷地說：「和我們的討論毫無關聯。」

「有關聯的。它們是某個凹透鏡的碎片，只要測一下它們的光學性質，再和恩德比今天所戴的眼鏡做個比較……別毀滅證據，局長！」

他衝到局長面前，從對方手中奪下眼鏡。然後，他將這個證據交給機．丹尼爾，並喘著氣說：「我想，這就足以證明，當天他抵達現場的時間比大家想像中來得早。」

機．丹尼爾說：「你完全說服了我。現在我終於明白，局長的大腦分析整個把我誤導了。恭喜你，以利亞夥伴。」

此時，貝萊的手錶剛好指著二十四點整，新的一天正式開始了。

局長的臉慢慢埋進了臂彎裡，然後他以含混的聲音，抽抽噎噎地說：「那是誤會，是誤會，我壓根兒沒想要殺他。」在毫無預警的情況下，他的身體滑落椅子，癱到了地板上。

機．丹尼爾一個箭步跳到他身邊。「你傷害了他，以利亞，這實在太糟了。」

「但他沒死，對吧？」

「沒有，可是昏迷不醒。」

「他會醒過來的，我想他只是一時承受不了。我不得不這麼做，丹尼爾，不得不。除了這番推論，我並未掌握任何能夠呈上法庭的證據。所以我必須一而再、再而三刺激他，並一點一滴套他的話，希望他最後自己崩潰。結果真是這樣，丹尼爾，你聽到他認罪了吧？」

「聽到了。」

「好的，我答應過你，結果將會有利於太空城的計畫，所以……等等，他醒過來了。」

局長先是呻吟幾聲，隨即眼皮動了幾下，這才終於睜開眼睛，無言地瞪著他們兩人。

貝萊說：「局長，你聽得見嗎？」

局長無精打采地點了點頭。

「很好，那麼聽我說，太空族其實另有打算，並非一定得起訴你，如果你願意和他們合作……」

「什麼？什麼？」局長眼中射出一絲希望的光芒。

「你在紐約的懷古組織中一定是個大人物，甚至在全球性懷古組織中應該也有影響力，從現在起，策動他們向太空發展。你應該知道如何宣傳吧？我們的確可以回歸大地——只不過是外星的大地。」

「我不明白。」局長喃喃道。

「這正是太空族的訴求，而且天地良心，自從我和法斯陀夫博士談了一回之後，這也成了我的訴求。對他們而言，這比什麼都重要。他們長駐在地球，時時刻刻冒著生命危險，就是為了這個目的。如果薩頓博士的死，能夠間接導致懷古份子改弦易轍，重新考慮開拓銀河，他們或許就會認為這個犧牲是值得的。現在你明白了嗎？」

機．丹尼爾道：「以利亞說得很對，只要幫助我們，局長，我們便既往不咎。這句話，我是代表法斯陀夫博士和我們全體同胞說的。當然，如果你現在一口答應，事後卻違背承諾，我們隨時可以公布你的罪證。這點希望你也明白，雖然這麼說令我很不舒服。」

「我不會被起訴嗎？」局長問。

「只要你肯幫助我們。」

他眼中充滿淚水。「我願意。那是個意外，是個意外，替我解釋一下，我只是做了一件自以為正確的事。」

貝萊說：「你唯有幫助我們，才是做正確的事。移民太空是地球唯一的自救方式，只要你拋棄成見，其實不難想通這個道理。如果還想不通，就去找法斯陀夫博士談談吧。而現在，你趕緊把機．山米這件事解決掉，就是幫了第一個忙。隨便編個意外之類的理由，總之做個了結！」

說到這裡，貝萊站了起來。「請記住，知道實情的並非只有我一個人，局長。太空城已經人盡皆知，除掉我只會害了你自己，懂了吧？」

機．丹尼爾道：「不必再說這些了，以利亞。他是真心願意幫忙的，從他的大腦分析就顯而易見。」

「很好，那麼我要回家了。我要回到潔西和班特萊身邊，恢復正常的生活，還要好好睡一覺——丹尼爾，太空族走了之後，你還會留在地球嗎？」

機．丹尼爾說：「我尚未接到通知，你問這做什麼？」

貝萊咬了一下嘴唇，然後說：「我從來沒想到，會對像你這樣的人說出下面這番話，丹尼爾，可是我真的信任你，我甚至……佩服你。我年紀太大，離不開地球了，不過當移民訓練機構成立之後，別忘了還有班特萊。或許有一天，班特萊和你，會一起……」

「或許吧。」機．丹尼爾依然面無表情。

然後，這機器人轉向朱里斯．恩德比，後者正望著他倆，鬆垮的臉龐上總算有了一點生氣。機器人說：「朱里斯好友，我一直在試圖理解以利亞對我說的一些話。或許我快要開竅了，因為我突然覺得，與其毀滅不當存在的事物，也就是你們所說的『惡』，還不如將這個『惡』轉化成你們所說的『善』。」

他猶豫了一下，然後，說出一句彷彿令自己也感到驚訝的話：「走吧，從此別再犯罪了。」

貝萊突然綻露笑容，抓起機．丹尼爾的手肘，兩人手挽著手走了出去。

YS0005Y 經典艾西莫夫 01　ISBN 978-986-262-152-3

機器人四部曲之 I：鋼穴

作　　者　艾西莫夫（Isaac Asimov）
譯　　者　葉李華
選書顧問　陳穎青（老貓）
責任主編　謝宜英
執行編輯　吳欣庭
校　　對　李鳳珠、葉李華、謝宜英
封面設計　吳文綺
版面構成　謝宜欣
總 編 輯　謝宜英
行銷業務　張芝瑜
出　　版　貓頭鷹出版
發 行 人　涂玉雲
發　　行　英屬蓋曼群島商家庭傳媒股份有限公司城邦分公司
104 台北市中山區民生東路二段 141 號 2 樓
劃撥帳號：19863813　戶名：書虫股份有限公司
城邦讀書花園：www.cite.com.tw　購書服務信箱：service@readingclub.com.tw
購書服務專線：02-25007718～9（周一至周五上午09:30-12:00；下午13:30-17:00）
24小時傳真專線：02-25001990～1
香港發行　城邦（香港）出版集團／電話：852-25086231／傳真：852-25789337
馬新發行　城邦（馬新）出版集團／電話：603-90578822／傳真：603-90576622
印 製 廠　成陽印刷股份有限公司
初　　版　2013 年 8 月

定　　價　新台幣 330 元／港幣 110 元

讀者服務信箱　owl@cph.com.tw
貓頭鷹知識網　http://www.owls.tw
歡迎上網訂購；大量團購請洽專線02-25007696轉2729

國家圖書館出版品預行編目（CIP）資料

機器人四部曲之I：鋼穴／艾西莫夫（Isaac Asimov）著；
葉李華譯. -- 二版. -- 臺北市：貓頭鷹出版：
家庭傳媒城邦分公司發行, 2013. 08
320面；15×21公分
譯自：The caves of steel
ISBN 978-986-262-152-3（平裝）

874.57 102010599